Franz Werfel

JACOBOWSKY

UND DER OBERST

Komödie einer Tragödie

in drei Akten

Edited with introduction, notes, and vocabulary by
GUSTAVE O. ARLT
of the University of California, Los Angeles

Appleton-Century-Crofts, Inc., New York

PREFACE

Rarely has an editor of a text edition of a literary work performed his task under more favorable conditions than those which produced this book. I watched the development of *Jacobowsky und der Oberst* from the evening when the author related a few anecdotes of his life as a refugee to the day when I mailed the translation of the last scene to the publisher. In the meantime a much altered stage adaptation of the play had created a sensation on Broadway, and the Hollywood studios were competing for the picture rights. Then my translation of the original drama appeared in print, while the author's text lived only in manuscript versions which a scant dozen people had read.

The purpose of this book, therefore, is twofold: first, of course, to place in the hands of students of German a fascinating and unusual drama by one of the most renowned recent authors; second, however, to record once and for all that author's original text in the form in which he wrote it. Literary history will note the unusual, and perhaps unique, fact that the first edition of a significant German book appeared in the shape of a text edition for American students.

The customary acknowledgments in this case are simple indeed. The only person to whom I am greatly indebted in the preparation of this book is Franz Werfel. He discussed every scene, every speech of the play with me at one time or another. Moreover, he read every word of the introduction and notes and supplied much of the factual material for both.

G.O.A.

Santa Barbara, California

iii

CONTENTS

INTRODUCTION

Ordinarily the introduction to a text edition for school and college use of a literary work is scarcely the proper place for a detailed biography of its author and for a new appraisal of his place in literary history. In most instances such works either are classics, the authors of which are men whose lives have been recounted many times in literary histories and elsewhere, or are more or less insignificant modern works, the chief virtue of which lies in their pedagogical qualities, and the authors of which are not necessarily figures of paramount importance.

The case of *Jacobowsky und der Oberst* and of its author, Franz Werfel, is somewhat different. On the one hand, the play has been acclaimed by many critics as one of the most significant contributions to the literature of the Second World War, and it is more than likely that it will occupy a permanently important place in German, as well as in American, literature. On the other hand, its author has been a prominent figure in the German literary scene for the past quarter of a century and in the literature of the world for more than a decade. Moreover, the phenomenal success of his recent works, particularly of his *Song of Bernadette,* although they were written without the slightest concession to the gods of the market-place, has undoubtedly put him into the foremost rank of living writers. Twenty-five years from now the biography of Franz Werfel will be found in literary histories and in many separate works. Today it is not readily available to the American reader. It seems entirely appropriate, therefore, that a reasonably detailed account of his life should be included in this, the first text edition of one of the major works of his mature period.

Franz Werfel was born on September 10, 1890, in Prague, Bohemia, then a part of the Austro-Hungarian Empire. As the only son—there were two daughters—of a well-to-do manufacturer, he received an excellent education, first in the Piarist Monastery School, later in the Gymnasium in Prague, from which he graduated in 1908. His father assumed as a matter of course that young Franz would follow in his footsteps in a commercial career, and a course in law at the Karl University in Prague was to lay the foundation. After a year the legal studies were interrupted for a period of practical commercial experience, and the young man was apprenticed to an import-export firm in Hamburg, Germany. The result, however, was that it became quite evident that Franz Werfel was not destined to become a businessman.

In the following year, 1910–1911, young Werfel absolved his compulsory military service in an imperial Austrian artillery regiment at the famous Hradschin in Prague. Among the memories of his youth that he holds dear are those of the fields and woods of Bohemia and particularly of the Czech villages that he visited in the course of military maneuvers. At the end of the year he continued his studies, now at the University of Leipzig, where he received particularly deep impressions from the famous old psychologist Wundt and the historian Karl Lamprecht. It is hard to avoid pointing out an analogy with the young Lessing and Goethe: the former had gone to Leipzig to study theology, the latter, like Werfel, law; all three, following their irresistible inclinations, ended by devoting themselves to history, philosophy, and literature.

At Leipzig Werfel became associated with the newly founded publishing house of Kurt Wolff, established as an outlet for the radical writers of the young generation. Together with Kurt Wolff he initiated a publication series called „Der Jüngste Tag", a series which attained considerable literary importance and will go down in history as one of some significance. In it appeared the first editions, for example, of short stories by Franz Kafka, René Schickele, and Max Brod, of poems by Ernst Stadler, Georg Heyms, and the strange Salzburg poet Georg Trakl. These writings exerted a great influence in the period between the two wars, and some of them will remain as permanent values in German literature.

In Prague young Werfel had already frequented a literary circle that included, besides the local products Kafka and Brod, such foreign writers as Heinrich Mann, Franz Blei, and Martin Buber. Now, in Leipzig, he entered into close relations with a circle of older literary men, among whom were Frank Wedekind, Karl Hauptmann, Richard Dehmel, Rainer Maria Rilke, and Paul Claudel. Also in this circle were the youthful poet Walter Hasenclever and, for a time, strangely enough, the young Hanns Johst, who was destined to become, very much later, a leader in the Nazi Party and the literary idol of Nazidom.

Between the years 1911 and 1914 Franz Werfel published his first three books, all of them cycles of lyric poems, *Der Weltfreund, Wir Sind,* and *Einander.* Rarely have collections of poetry, particularly by a young and relatively unknown poet, attained the remarkable success of these three volumes. The first of them ran through five editions in three weeks, and the other two each reached a distribution figure of twenty thousand copies. Such editions are creditable for a novel, excellent for a play; for a volume of poetry they are nothing short of remarkable.

The outbreak of the First World War both interrupted and accelerated the development of the young poet. He was mobilized on the first day of the war and joined his artillery regiment. During his mobilization furlough, however, he was very seriously injured in an accident of the cable tramway in Bozen, Tirol, and, after lengthy hospitalization, was not ready for active military service until the summer of 1915. He then joined his regiment in the rank of Master Sergeant (Feuerwerker) and went to the Russian front in charge of the regimental communication center. There, in his dugout at the telephone switchboard, he wrote a number of important things, both prose and verse, among them the essay „Die christliche Sendung" (*Neue Rundschau,* 1916). This essay is of the greatest significance in his development because in it, for the first time, he acknowledges himself to be an adherent of Christian philosophy and thereby enters upon the road from which he has never deviated to this day. The same year saw the performance of his first play, *Die Troerinnen,* written in 1913 on a theme by Euripides. After its première in the Berlin Lessing Theater the drama was performed many hundreds of times in all parts of Germany.

In the spring of 1917 the publication of some poems of a pacifistic nature caused Franz Werfel's arrest on the charge of high treason. He was soon released from custody, however, and the charges were withdrawn. In July, 1917, he was transferred from active service at the front to the Information Section of the War Department. His activities as a propagandist were not, however, highly appreciated by the Imperial Government, and a lecture tour in Switzerland in 1918, where he

made very frank pacifistic statements, brought him into re-
newed difficulties with the Austrian authorities. The October–
November revolutions in 1918 found him again in Vienna,
where he then made his home until 1938.

One of the decisive turning-points in Franz Werfel's life and
career was his meeting with Alma Maria Mahler, whom he
married immediately after the conclusion of the war. She is
the daughter of Emil Schindler, one of Austria's greatest
painters of the last half of the nineteenth century, and the
widow of the renowned composer Gustav Mahler. A woman
of great personal charm, an able musician and composer, a
prominent figure in the society of European capitals, she was
the ideal mate for the sensitive young writer at this critical
stage of his career, and she is the touchstone of his ideas to
the present day. Literary history will give her full credit for
her share in Franz Werfel's development.

The twenty years from 1918 to the annexation of Austria by
Hitler in 1938 were devoted exclusively to the systematic building up of Werfel's life work. Thanks to his greater maturity,
his growing economic security, and the intelligent help of his
devoted wife, these twenty years passed much less dangerously,
much more peacefully and harmoniously, than the preceding
ten years, when the young poet's uncontrollable spirit had
often led him to the brink of perilous abysses. During these
years Werfel lived in Vienna and the mountains near there and
in various parts of Italy—Venice, Genoa, Naples, the Riviera—
and also traveled in many parts of the world—Egypt, Palestine,
the Middle East, the United States. An amazing variety of
writings appeared with equally amazing regularity, and Werfel's renown soon became international as more and more of
his works were translated in Europe and America.

When the annexation of Austria to Germany occurred on March 13, 1938, Franz Werfel was in Italy. To return to his beloved Vienna was, of course, out of the question. His works had long been proscribed in Germany, and his name stood high on the list of those to whose activities the Nazis were eager to put an end. He went to Switzerland and then to England, and finally settled in the French Riviera, where he hoped to be safe. Here the collapse of France in June, 1940, overtook him. As the Germans advanced into the heart of France, preceded by the Gestapo with extradition lists, he joined the throngs of those who besieged the consulates for passports and visas to America. Driven from place to place, he finally found temporary refuge in Lourdes, the shrine of Bernadette, in the foothills of the Pyrenees. Out of the experiences of those months came his two most recent works—*Das Lied von Bernadette,* the epic of gratitude for his deliverance, and *Jacobowsky und der Oberst,* the tragicomic reminiscences of a fugitive.

In the late summer of 1940 Franz Werfel and his wife finally secured the needed passports and set out on the last lap of their flight. They arrived in the United States in the fall of the year and, after a short time, settled down in Beverly Hills, California, where they now make their home. Here, in a tiny study crammed with books and littered with manuscripts, Franz Werfel sits at his desk overlooking the bright, exotic California garden and continues the life work which he was not permitted to finish in the country of his language and spiritual heritage.

Franz Werfel's work in all three fields of expression—poetry, drama, and narrative—is built up according to a motif that he expressed in one of his earliest poems. A verse in the lyric

„Eine alte Frau geht" in the cycle *Wir Sind* states the simple dogma: „Diese Welt ist nicht die Welt allein." It is the deep conviction, a conviction growing out of mystic experience, that visible and tangible realities do not constitute the full scope of being; that nature is both permeated and over-shadowed by a higher nature. To depict to the fullest extent this dualism that underlies all visible phenomena has been the unalterable purpose of all the writings of Werfel—beginning with the earliest poems in *Der Weltfreund,* and continuing through the great realistic novels, *Barbara* (*The Pure in Heart,* 1929), *Die Geschwister von Neapel* (*The Pascarella Family,* 1931), and the two volumes of *Die vierzig Tage des Musa Dagh* (*The Forty Days of Musa Dagh,* 1933), down to the works of his most recent period. The dual position of the mystically awakened human with respect to the realm below and the realm above is most clearly exemplified in the works of the last ten years—*Der Weg der Verheißung* (*The Eternal Road,* 1935), *Höret die Stimme* (*Harken unto the Voice,* 1937), *Der veruntreute Himmel* (*Embezzled Heaven,* 1939), *Das Lied von Bernadette* (*The Song of Bernadette,* 1941), and a collection of philosophical and theological essays that is now in press.

If there is such a thing in the international literature of today as a genuine surrealist (without, to be sure, the snobbish, hyperesthetic connotation of the word—a suprarealist, to coin a descriptive term), then Franz Werfel might be so described throughout his entire career of more than thirty years. He is a realist through and through, he never distorts the images that he sees, but he has an original way of placing them against an infinite background so that they gain far greater perspective than simple realism could ever give them. This polyperspective, this wealth of base points and vanishing points, is the root of Werfel's humor, which has become more and more pronounced from *Tod des Kleinbürgers* (*The Man Who Conquered Death,* 1926), through *Der veruntreute Himmel* and *Die blaßblaue Frauenhandschrift* (*April in October,* 1940), to *Jacobowsky und der Oberst.* At the same time this polyperspective places Franz Werfel and his work spiritually outside the current of contemporary literature, with its monistic view based upon historic materialism and economic determinism.

Less than six months after the first printing of this book Franz Werfel laid down his pen for the last time. On August 26, 1945, shortly before six in the afternoon, he died suddenly and dramatically while he was correcting the page proofs of a volume of new poetry. A series of heart attacks beginning in September, 1943, had heralded his death. They had served, however, only to spur him on to feverish industry in an effort to finish his labors before night fell on his short working day. In 1944 he gave the world a volume of philosophical essays entitled *Between Heaven and Earth* (the German version was published in 1945 in Stockholm under the title *Zwischen Oben und Unten*). And only two weeks before his death he completed his last, perhaps his greatest, certainly his most grandiose novel, *Star of the Unborn,* published in February, 1946, and later in the same year in German as *Stern der Ungeborenen.* Whatever else this book may be—a brilliant satire, a vitriolic polemic, an unrestrained flight of creative fancy—it is first of all the culmination of the author's religious development. It will stand the test of time as the crowning achievement of his career.

FRANZ WERFEL'S BIBLIOGRAPHY

VERSE

Der Weltfreund (1911)
Wir Sind (1913)
Einander (1915)
Gesänge aus drei Reichen (1917)
Der Gerichtstag (1919)
Beschwörungen (1921)
Arien (1922)
Gesammelte Gedichte (1926)
Schlaf und Erwachen (1935)
Gedichte aus dreißig Jahren (1939)
Ausgewählte Gedichte (1946)

DRAMAS

Besuch aus dem Elysium (1910)
Die Versuchung (1912)
Die Troerinnen (1913)
Die Mittagsgöttin (1919)
Spiegelmensch (1920)
Bocksgesang (1921)
Schweiger (1922)
Juarez und Maximilian (1924)
Paulus unter den Juden (1925)
Das Reich Gottes in Böhmen (1930)
In einer Nacht (1932)
Der Weg der Verheißung (1934)
Jacobowsky und der Oberst (1942)

Novels and Other Narratives

Spielhof (1919)
Nicht der Mörder, der Ermordete ist schuldig (1919)
Verdi: Roman der Oper (1923)
Tod des Kleinbürgers (1926)
Geheimnis eines Menschen: Vier Erzählungen (1927)
Der Abituriententag (1928)
Barbara oder die Frömmigkeit (1929)
Kleine Verhältnisse (1930)
Die Geschwister von Neapel (1931)
Die vierzig Tage des Musa Dagh (1933)
Höret die Stimme (1937)
Die wahre Geschichte vom wiederhergestellten Kreuz (1938)
Der veruntreute Himmel (1939)
Die blaßblaue Frauenhandschrift (1940)
Das Lied von Bernadette (1941)
Stern der Ungeborenen (1946)

Pamphlets and Essays

Die christliche Sendung (1916)
Der Snobismus als geistige Weltmacht (1927)
Realismus und Innerlichkeit (1931)
Können wir ohne Gottesglauben leben? (1932)
Von der reinsten Glückseligkeit des Menschen (1937)
Zwischen Oben und Unten (1945)

Operatic Arrangements

Die Macht des Schicksals
Simon Boccanegra
Don Carlo

JACOBOWSKY UND DER OBERST

Komödie einer Tragödie
in drei Akten

Personen der Komödie

Jacobowsky
Oberst Tadeusz Boleslav Stjerbinsky
Marianne
Szabuniewicz
Der tragische Herr
Der Unsterbliche (Membre de l'Académie Française)
Madame Bouffier, Wirtin des Hotels „Mon Repos et de la Rose"
Ginette, Mariannes Jungfer
Salomon, Concierge des Hotels „Mon Repos et de la Rose"
Die alte Dame aus Arras
Clémentine
Das junge Mädchen
Die leichte Person
Der Chauffeur eines reichen Hauses in Paris
Clairon, Wirt des Cafés „Au père Clairon" in Saint Jean-de-Luz
Der Brigadier der Sûreté von Saint Cyrill
Der Commissaire Spécial de la Police in Saint Jean-de-Luz
Ein Oberleutnant der deutschen Armee
Ein Tourist der Gestapo
Der Würfelspieler
Der Ewige Jude
Der Heilige Franziskus
Der tote Mann
Hotelgäste, Gäste des Cafés in Saint Jean-de-Luz, ein Witwer mit zwei
    kleinen Kindern, deutsche Soldaten, französische Polizisten

Die Handlung der Komödie spielt im Juni-Mond des Jahres 1940
    zwischen Paris und der atlantischen Küste in Frankreich.

ERSTER AKT

DES ERSTEN AKTES
ERSTER TEIL

Die Waschküche des Hotels „Mon Repos et de la Rose"

*(Die Waschküche dient als Luftschutzkeller. — Beim Auf-
gehen des Vorhangs läßt sich im ersten Augenblick die
Befürchtung nicht ganz abweisen, man werde einem pathe-
tischen, unangenehmen und schwer verständlichen Drama
beiwohnen müssen, denn die Bühne ist in ein magisch blaues* 5
*Licht getaucht, aus dem sich in gespenstischer Erstarrung
einige menschliche Gestalten losringen, die regungslos entlang
der Wände auf Holzbänken sitzen. Nicht genug damit, es
erschallt zu Häupten der blau beleuchteten Gespenster die
überlebensgroße Grabesstimme eines unheilverkündenden* 10
*griechischen Gottes. — Zum Glück stellt es sich jedoch sofort
heraus, daß die Stimme keinem Deus ex machina angehört, der
aus den Wolken spricht, sondern einem französischen Ministerpräsidenten im Radio, daß ferner das magische Licht von einigen nackten Glühbirnen ausgesendet wird, die man nach* 15
*Vorschrift des französischen Luftschutzes blau angestrichen
hat, und daß schließlich die regungslosen Gestalten keine sym-
bolische Bedeutung haben, sondern Hotelgäste sind, die der
nächtliche Luftangriff auf Paris um ein Uhr nachts aus den
Betten gescheucht und in dieser Waschküche zusammengetrie-* 20
ben hat.)

STIMME DES MINISTERPRÄSIDENTEN REYNAUD. La situation est grave mais pas désespérée ... Die Lage ist ernst aber nicht hoffnungslos. An der Somme verteidigen unsere braven Truppen jeden Zoll des heimatlichen Bodens mit der größten Tapferkeit.
5 Die Übermacht des Feindes an Mannschaft und Material aber ist so groß, daß damit gerechnet werden muß ... (*Das Radio schnappt jäh mit einem erschrockenen Schnalzer ab.*)

(*Noch kann man die Gestalten der Anwesenden nicht deutlich unterscheiden.*)

10 STIMME DES TRAGISCHEN HERRN. Bei uns darf man sich nicht einmal mehr auf die Unzuverlässigkeit verlassen. Jetzt schalten sie wirklich das Radio aus, wie es bei Luftangriffen vorgeschrieben ist ...

KNABENSTIMME. Wer hat da im Radio gesprochen?

15 STIMME DES TRAGISCHEN HERRN. Der kleine Mann einer großen Stunde, mein Sohn! Er spricht von Bordeaux und verfügt über die passende Grabesstimme: „La situation est grave." Der Ministerpräsident Reynaud.

DIE ALTE DAME AUS ARRAS (*mit der klagenden hohlen*
20 *Stimme eines Käuzchens*). Wie?! Das war Monsieur Reynaud selbst, oh Gott, oh Gott! Monsieur Reynaud steht sehr links. Alle die Herren stehen sehr links. Monsieur Léon Blum duldet nicht, daß in der Woche mehr als vierzig Stunden gearbeitet wird. So sagt meine Tochter. Meine Tochter ist Professor am
25 Lycée Jean Bodel. Da haben wirs nun! Den letzten Krieg hab ich verstanden. Diesen Krieg versteh ich nicht. Warum für Danzig sterben, fragt meine Tochter täglich. Wo Danzig liegt, das wissen doch nur die Gelehrten ... Heilige Mutter Gottes, war das eine Bombe? ...

30 DER TRAGISCHE HERR. Keine Bomben, Madame, das sind die Abwehrbatterien beim Bahnhof Saint Lazare. Ein Wunder,

daß diese Batterien nicht von einem unserer Minister gestohlen
und an die Boches verkauft worden sind...

DIE ALTE DAME AUS ARRAS. Ja, ja, Monsieur! Meine Tochter
sagt immer, Demokratie, das ist, wenn die Politiker gute Geschäfte machen und die Geschäftsleute schlechte Politik...   5

DER TRAGISCHE HERR. Demokratie, meine Beste, sie ist wie
das Leben selbst: die Korruption der Einen dividiert durch die
Korruption der Andern!

STIMME DES JUNGEN MÄDCHENS (*unterdrückt*). Gehen Sie...
Das ist doch...   10

MÄNNERSTIMME. Was gibt es da?

STIMME DES JUNGEN MÄDCHENS (*verlegen*). Ach, ich habe
meine Mascotte verloren... Ein kleiner süßer Elephant aus
Elfenbein mit einem Türmchen drauf und einem winzigen
Maharadscha...   15

(*Einige der Gäste lassen ihre Taschenlampen aufblitzen, um
den Boden nach dem Elephanten abzusuchen.*)

DER TRAGISCHE HERR. Vermeiden Sie das gefälligst, meine
Herrschaften! Dies hier ist kein bombensicherer Abri, sondern
nur die Waschküche unseres lieben muffigen Hotels „Mon 20
Repos et de la Rose". Dort die Luken gehen auf die Straße und
die Vorhänge sind nicht dicht. Und unser Chef d'Ilot ist ein
Esel...

MÄNNERSTIMME. Nein! Ein räudiger Hund! Wie der gebrüllt
hat bei der letzten Alerte!   25

DER TRAGISCHE HERR. Er wäre idiotisch genug zu glauben, jemand von uns gibt den deutschen Fliegern geheime Signale...

DIE ALTE DAME AUS ARRAS. Könnte das nicht wirklich vor-
kommen? Es wohnen so viel Ausländer in diesem Haus...
(*Mit einem leisen Schrei*) Aber das war bestimmt eine 30
Bombe...

DER TRAGISCHE HERR. Noch immer die Abwehrbatterien. Gute Frau, Sie gleichen einem Kraftwerk zur Erzeugung von Panik... Da kommt Madame Bouffier und sie bringt uns sogar ein bißchen Licht mit...

5 (*Madame Bouffier, die Hotelwirtin, ist mit einer oben abgedeckten Laterne eingetreten. Sie ist eine dicke Fünfzigerin mit flammend rot gefärbtem Haar. Ihr folgt Salomon, der Concierge des Hotels, ein sehr kleiner, melancholischer, etwas verwachsener junger Mann. — Nun erkennt man in dem bescheidenen* 10 *Licht den kahlen Raum mit den Bänken an der Wand und einigen Stühlen, auf denen die frierenden Hotelgäste sitzen, die meisten in Schlafanzügen mit übergeworfenen Mänteln.*)

MADAME BOUFFIER. Kontrollieren Sie die Vorhänge, Salomon, damit wir keinen Anstand mit dem Chef d'Ilot haben wie 15 gestern...

SALOMON. Jawohl, Madame Bouffier... (*Er holt eine Leiter zu den hochgelegenen Luken und sieht nach, ob die blauen Vorhänge gut schließen.*)

(*Die alte Dame aus Arras trägt unter ihrem dürftigen* 20 *Straßenmantel ein Nachtjäckchen im Stil des vorigen Jahrhunderts. Neben ihr sitzt Clémentine, ihre Enkelin, ein vierzehnjähriges Mädchen mit naschhaften Augen und einem Nachtjäckchen desselben Stils.*)

DIE ALTE DAME AUS ARRAS. Wie lange wird die Alerte heute 25 dauern? Wir haben bereits die siebente Nacht nicht geschlafen. Und ich bin schon dreiundsiebzig alt und die Kleine ist erst vierzehn...

DER TRAGISCHE HERR. Frankreich hat zu viel und zu komfortabel geschlafen, Madame, und jetzt stirbt es... (*Bei diesen* 30 *Worten erhebt er sich, ein großer Mann, dunkel gekleidet, in*

einem havelockartigen Mantel. Mit seiner abgeeckten, von
weissem Haar umrahmten Stirn macht er den Eindruck eines
jener Boulevardiers, wie man ihnen dann und wann bei den
Bücherständen des Quai Voltaire begegnet. Die Taschen seines
Mantels sind auch voll von Büchern.)   5

DIE ALTE DAME AUS ARRAS. Daß ich das noch erleben mußte.
Wissen Sie, ich bin aus der Provinz, aus Arras... Es war der
schönste Maimorgen und wir wußten nichts, absolut nichts! Ich
sage zu meiner Tochter: Die Eier sind teurer geworden. Und
meine Tochter sagt, dieser Krieg ist das größte Verbrechen der 10
Weltgeschichte. Meine Tochter unterrichtet nämlich Geographie und Weltgeschichte... (*Sie fängt zu schluchzen an.*)
Leih mir dein Taschentuch, Clémentine ma petite...

CLÉMENTINE. Hier, Großmama...

SALOMON (*von der Leiter steigend*). In Ordnung, Madame 15
Bouffier! Heut muß er das Maul halten, der Chef d'Ilot...

DIE ALTE DAME AUS ARRAS. Die Ärmste ist vielleicht schon
eine Waise... Ihr Vater, mein Sohn, steht als Leutnant der
Festungsartillerie in der Maginot-Linie... Nicht wahr, Clémentine?   20

CLÉMENTINE. Ja, Großmama...

MADAME BOUFFIER (*das Lamento der alten Dame abschnei-
dend*). Ich habe die Rede des Ministerpräsidenten nicht gehört.
Was hat Monsieur Reynaud gesagt?

(*Szabuniewicz, der schläfrige Pole, ein stiernackig athle-* 25
tischer Mann, der, gegen die Wand gelehnt, zu schlafen schien,
öffnet die Augen zu einem Blinzeln. Sein harter, slawischer
Akzent erregt sofort Aufmerksamkeit.)

SZABUNIEWICZ. Der Herr hat gesagt: „Die Situation ist ernst
aber nicht hoffnungslos." Vielleicht hat der Herr auch gesagt 30

umgekehrt: „Die Situation ist hoffnungslos aber nicht ernst."
Ich bin schon lang genug in Frankreich. Aber eine fremde
Sprache ist immer leichter zu sprechen als zu verstehn...

MADAME BOUFFIER (*die Hände faltend*). Möge Gott unsere
5 Generäle inspirieren: Maréchal Pétain und Général Weygand!

DER TRAGISCHE HERR. So alte Männer, Madame, pflegt Gott
nicht gerne zu inspirieren...

SZABUNIEWICZ (*reicht dem jungen Mädchen neben ihm die
Mascotte, ohne die Augen zu öffnen*). Hier ist Ihr Elephant,
10 Mademoiselle...

DAS JUNGE MÄDCHEN. Ah! Wie haben Sie ihn gefunden, Monsieur? Sie haben ja geschlafen.

SZABUNIEWICZ. Szabuniewicz ist einer, der alles im Schlaf
findet, sagt der Oberst... (*Gähnt und schläft weiter.*)

15 DIE ALTE DAME AUS ARRAS. Helfen Sie doch meinem armen
Kopf! Demnach... Es ist demnach möglich, daß die Deutschen siegen... Oh Gott, oh Gott...

DER TRAGISCHE HERR. Der alte Gott wird sie daran nicht hindern, Madame, und der alte Pétain noch weniger. Ich fürchte,
20 daß diese beiden reifen und verehrungswürdigen Persönlich-
keiten der Fünften Kolonne angehören...

MADAME BOUFFIER. Halt, meine Freunde, das ist ja der reinste
Defaitismus! Ich bin das Oberhaupt dieses Hauses. Sie haben
mir zu gehorchen wie die Passagiere des Schiffes ihrem Kapi-
25 tän! Als Kapitän dulde ich keinen Defaitismus. Die Deutschen
sind noch mehr als hundert Meilen von Paris entfernt. Ein
Wunder kann geschehen, wie es 1914 geschehen ist, als die
Boches noch viel näher waren als heute und Gott den General
Galieni inspirierte, alle Taxis von Paris, mit Truppen beladen,
30 dem Feinde entgegen zu werfen. Glauben wir doch an Wunder! Damals haben wir gezittert wie heute und wurden geret-

tet. Also ein wenig Zuversicht und Heiterkeit, wenn ich bitten
darf! Ich habe meine Gäste immer als meine Familie betrachtet... (*Zum Concierge*) Lieber Salomon, holen Sie doch
das Grammophon aus dem Salon...

DAS JUNGE MÄDCHEN. Ja, lieber Salomon, das Grammophon 5
aus dem Salon! Und die neue Platte von Chevalier...

DER TRAGISCHE HERR (*stöhnend*). Auch das noch! Dieser
heisere Gigolo ist mir auch ohne Bombenbegleitung ein Greuel!

SALOMON. Also vielleicht etwas klassische Musik?

DAS JUNGE MÄDCHEN. Nur keine klassische Musik, Salomon! 10
Die ist so schrecklich lang, selbst wenn sie kurz ist...

SALOMON. Also vielleicht etwas Jazz?

DER TRAGISCHE HERR. Ich würde Sie in diesem Falle ermorden,
Salomon, und von jedem französischen Gericht freigesprochen
werden!   15

SALOMON. Also vielleicht... (*Achselzuckend*) Wem kann
man es recht machen auf der Welt? (*Will abgehn.*)

MADAME BOUFFIER. Warten Sie, Salomon! (*Sie zählt mit
einem Feldherrnblick die Häupter ihrer Gäste.*) Irgendwer
fehlt mir. Irgendwer scheint im Bett liegen geblieben zu sein. 20
Dieser Leichtsinn ist unerhört! Wenn der Chef d'Ilot dahinter-
kommt! Wenn ein Unglück geschieht! Ich fühle mich verantwortlich für die Familie meiner Gäste... Ich habs! Monsieur
Jacobowsky ist abwesend. Monsieur Jacobowsky hat sich wieder
einmal gedrückt, die liebe leichtsinnige Seele...   25

DER TRAGISCHE HERR. Für diesen Monsieur Jacobowsky scheinen Sie sich ja besonders verantwortlich zu fühlen, beste Bouffier...

MADAME BOUFFIER. Das will ich meinen. Er ist eine sonnige
Natur. Und ich ziehe sonnige Naturen allen Schwarzsehern 30
vor.

DER TRAGISCHE HERR. Dieser Ausspruch richtet sich gegen mich. Und ich habe seit zwanzig Jahren Ihr kleines Hotel zum Hauptquartier meiner Lebens-Irrfahrt erkoren ...

MADAME BOUFFIER. Monsieur Jacobowsky hat mein kleines
5 Hotel zwar erst seit zwei Jahren zum Hauptquartier erkoren, aber er ist noch keine einzige Wochenrechnung schuldig geblieben. Im Gegenteil! Er irrt sich oft zu seinen Ungunsten! Welch ein Wunder! Ein Mann und kein Egoist! (*Zu Salomon*) Gehen Sie hinauf und holen Sie ihn aus dem Bett!

10 JACOBOWSKY (*der unversehens eingetreten ist*). Nicht nötig, Madame Bouffier ... Sie brauchen sich nicht zu échauffieren, mein lieber Salomon ... Ich habe nur einen kleinen Weg gemacht, in die Rue Royale ... (*Jacobowsky ist ein untersetzter Mann in mittleren Jahren mit einem rosig rundlichen Gesicht*
15 *und schönen langbewimperten Augen. Er ist peinlich adrett gekleidet, in einem etwas altmodischen, von Seidenborten umsäumten Cutaway. Er zeichnet sich, diesem Anzug entsprechend, durch ein höfliches, ja oft feierliches Gehaben aus. Seine Ausdrucksweise ist wohlüberlegt, formvollendet, manch-*
20 *mal bis zur Gewundenheit. Er spricht gewissermaßen „wie gedruckt". Nur manchmal durchbricht das Magma der Nervosität seine modellierten Sätze und man erkennt, daß dieser Mann seine Haltung dem Schicksal abgerungen hat.*)

MADAME BOUFFIER (*schlägt die Hände zusammen*). In die
25 Rue Royale? Und das während eines Bombardements? Wenn die Polizei Sie erwischt hätte, oder der Chef d'Ilot, dieser Bösewicht, oder gar eine Bombe, ein zusammenstürzendes Haus ...

DAS JUNGE MÄDCHEN (*Jacobowsky kokett betrachtend*). Monsieur Jacobowsky ist eben sehr mutig!

30 JACOBOWSKY. Nicht die Bohne, mein liebes Fräulein! Mut beruht auf der Unfähigkeit sich in die Seele des Gegners ver-

setzen zu können. Am mutigsten sind Säuglinge, denn sie greifen sogar ins Feuer. Ich beurteile die Gefahr nur mit Vernunft!

DER TRAGISCHE HERR (*hämisch*). Sie glauben wohl, die
Bombe, die S i e treffen könnte, sei noch nicht gegossen ... Sie
ist gegossen, mein Herr, bei Krupp oder Skoda!   5

JACOBOWSKY. Ich glaube an die Wahrscheinlichkeitsrechnung, mein Herr, denn ich bin ein Liebhaber der Mathematik und Logik. Warum, so frage ich mich, warum sollte
unter vier Millionen Parisern gerade ich, S. L. Jacobowsky,
einer Bombe zum Opfer fallen? Der mathematische Bruchteil 10
dieser Wahrscheinlichkeit ist doch verschwindend klein ...

MADAME BOUFFIER. Was, bei allen Heiligen, haben Sie in der
Rue Royale zu suchen, wenn es Bomben regnet?

JACOBOWSKY. Ich dachte mir, die Damen würden an ein paar
Marrons glacés Vergnügen finden. Die Damen leiden am mei- 15
sten unter den aufregenden Ereignissen der letzten Wochen.
Die Nacht ist lang und die Marrons glacés sind ganz frisch ...
(*Er bietet ringsum den weiblichen Gästen an.*) Bitte sich un-
geniert zu bedienen. Ich habe eine vorzügliche Quelle in der
Rue Royale, die mir sogar nachts offen steht ...   20

MADAME BOUFFIER. Da sehen Sie's, meine Herrschaften, hab
ich recht gehabt? Immer nur an Andere denken ...

JACOBOWSKY (*irritiert unterbrechend*). Sie überschätzen mich,
Madame Bouffier. Natürlich möchte ich, daß sich alle wohl
fühlen, aber doch nur aus dem einzigen Grunde, damit ich 25
mich selbst wohl fühlen kann.

MADAME BOUFFIER. Oh, daß gerade die besten Ehemänner
unverheiratet sind! Sie sollten heiraten!

JACOBOWSKY. Nein, das sollte ich nicht! Ich bin ein Troubadour. Die Schönheit der Damen bestürzt mich und macht 30
mich beklommen ...

DAS JUNGE MÄDCHEN. Sie werden einsam sterben!

JACOBOWSKY. Keine Sorge, mein schönes Kind! Man findet heute überall die üppigste Gelegenheit, in großer Gesellschaft zu sterben ... Bitte nur zuzugreifen, auch die Herren, es sind
5 reichlich Reserven vorhanden ... (*Zur alten Dame aus Arras*) Madame, darf ich bitten ...

DIE ALTE DAME AUS ARRAS. Oh, danke, Monsieur, danke! Ich bin so frei. Süßigkeiten trösten im Unglück. Der Herr bietet dir an, Clémentine. Du darfst dir ein Marron glacé
10 nehmen ...

JACOBOWSKY. Zwei, Mademoiselle, nehmen Sie ruhig zwei ...

DIE ALTE DAME AUS ARRAS. Sie müssen nämlich wissen, wir sind geflohen, Hals über Kopf. Ich bin Witwe und aus Arras. Alles habe ich zurückgelassen, auch Frau Professor, meine
15 Tochter. Sie hat gesagt: Ich bleibe auf dem Posten, wenn Hitler kommt ... Oh Gott, geflohen, geflohen, ich, eine Französin, wer kann das ausdenken?! Leih mir dein Taschentuch, Clémentine ...

CLÉMENTINE. Hier, Großmama ...

20 (*Salomon hat mittlerweile ein Grammophon gebracht und legt den Walzer von Strauß „Mein Lebenslauf ist Lieb und Lust" auf die Scheibe.*)

DIE ALTE DAME AUS ARRAS (*schluchzt vor sich hin*). Geflohen in Frankreich, geflohen ...

25 (*Jacobowsky setzt sich freundlich neben die alte Dame und Clémentine. Seine Erzählung wird begleitet vom Straußwalzer und dem Geknatter und Gebombe draußen, das sich nähert. Sie wird unterbrochen von den Ausrufen einiger Gäste, die Karten zu spielen begonnen haben.*)

30 JACOBOWSKY. Vielleicht, Madame, schafft es Ihnen Erleichterung, zu hören, daß meine Wenigkeit im Leben schon viermal

geflohen ist, schlecht gerechnet. Das erstemal, als meine gute
selige Mutter mit ihren fünf Kindern aus einem polnischen
Städtchen nach Deutschland floh, da war ich nicht mehr und
nicht weniger als drei Jahre alt. Wir mußten alles zurücklassen,
damals, auch meinen frommen Vater, den die berühmten 5
„Schwarzen Hundert" des Zaren während eines netten kleinen
Pogroms ums Leben gebracht hatten ...

DAS JUNGE MÄDCHEN. Mit drei Jahren! Wie schrecklich!

JACOBOWSKY. Es war garnicht schrecklich, Mademoiselle,
denn in Deutschland wuchs ich auf, von der festen Überzeu- 10
gung gewiegt, ein kleiner strammer Deutscher zu sein. Dieser
begreifliche Irrtum wurde leider viel zu spät aufgeklärt, und
zwar durch Hitlers „Braune Millionen". Ich floh nach Wien,
mit leichtem Gepäck, glücklich, daß es ohne Konzentrations-
lager abgegangen war ... Wien! Hören Sie nur: „Mein Lebens- 15
lauf ist Lieb und Lust"... (*Er summt zwei Takte der Musik
mit.*) Kaum hatte ich begonnen, ein waschechter Wiener zu
sein und für neuen Wein und alte Walzer zu schwärmen, da
holte mich das Schicksal wieder ein. Ich floh nach Prag, und
diesmal ohne Gepäck ... Prag! Kennen Sie Prag?... (*Er lächelt* 20
träumerisch.) Prag ist eine wunderschöne Stadt. Es tat mir
aufrichtig leid, aus Prag fliehen zu müssen, und zwar zu Fuß,
über die verschneite Grenze und ohne Winterrock ... Paris
aber ist die Stadt aller Städte. Ich habe eine große Eignung zum
französischen Patrioten, Madame. Frankreich ist Gottes Land, 25
dachte ich, und Franzose wirst du bleiben bis an dein Lebensende. Und nun ...

DIE ALTE DAME AUS ARRAS. Ich bin so unruhig, Monsieur ...

JACOBOWSKY. Und nun? Flucht Nummer Fünf steht vor mir,
nachdem ich bereits viermal mein Leben aus dem puren Nichts 30
habe aufbauen müssen. Und sehen Sie, Madame, meine

Freundin Bouffier hält mich trotz allem für ein heiteres Naturell ...

MADAME BOUFFIER. Sonnig, unerschütterlich sonnig ...

JACOBOWSKY. Wer weiß? Man bekommt Routine im Fliehen
5 und Verlieren. Merken Sie sich, Madame: kein Unglück ist in
der Wirklichkeit so groß wie in unserer Angst: ausgenommen vielleicht Zahnschmerzen ...

DIE ALTE DAME AUS ARRAS. Ihr Fall läßt sich mit uns doch
nicht vergleichen, Monsieur! Unsere Familie lebt seit Jahrhun-
10 derten in Arras ...

JACOBOWSKY. Nein! Der Fall läßt sich wirklich nicht vergleichen ...

DIE ALTE DAME AUS ARRAS. Hast du gehört, Clémentine? Wir
werden auch noch aus Paris fliehen müssen ... Meine Tochter
15 hat recht: auch Frankreich braucht einen Hitler ...

AUSRUFE DER GÄSTE. Das ist wirklich zu bunt ... So etwas anhören müssen ...

DER TRAGISCHE HERR (schreit mit geballten Fäusten). Ihre
Tochter und Frankreich hat ihn schon, den Hitler ...

20 JACOBOWSKY (bietet, um abzulenken, Zigaretten an). Ich
habe noch einige echte Dimitrinos ...

DAS JUNGE MÄDCHEN. Sie wissen aber, was gut ist, Monsieur ...

JACOBOWSKY. Ja, das weiß ich. Ich habe nämlich früh erfahren,
25 was schlecht ist ...

SZABUNIEWICZ (öffnet die Augen). Der Herr scheint die Lage
sehr ruhig zu beurteilen, der Herr ...

(Die fernen dumpfen Schläge folgen zahlreicher aufeinander.)

30 JACOBOWSKY. Nicht ruhiger als möglich und nicht unruhiger
als nötig ...

SZABUNIEWICZ (*eine Zigarette nehmend*). Der Herr hat nicht viel zu fürchten von den Boches, der Herr, vermutlich ...

JACOBOWSKY. Es gibt ohne Zweifel einige, die noch mehr zu fürchten haben von den Nazis, als ich, aber nicht viele. Ich habe mich nämlich durch einige Verdienste mißliebig ge- 5 macht ...

SZABUNIEWICZ. Das glaub ich!

JACOBOWSKY. Nicht so, wie Sie glauben. Als ich noch selbst ein Deutscher war, da nannte man mich Präsident und Generaldirektor und an meinem Tisch sassen Genies, Fürsten, 10 Grafen, Botschafter, Minister, Filmstars ...

DAS JUNGE MÄDCHEN. Welche? Greta Garbo?

JACOBOWSKY. Mindestens! ... Mein großes Verbrechen war die deutsche Kultur. Ich verehre sie glühend: Goethe, Mozart, Beethoven! Und so hab ich in Mannheim eine Schule für 15 moderne Architektur gegründet, in Pforzheim einen Verein für Kammermusik und in Karlsruhe eine Arbeiterbibliothek. Das verzeihen mir die Nazis nicht. Darauf steht nicht Dachau. Darauf steht der Tod ...

SZABUNIEWICZ. Recht geschieht Ihnen ...   20

JACOBOWSKY (*nickt bestätigend*). Recht geschieht mir ...

(*Mehrere heftige Explosionen — Aufschrei der Frauen.*)

DIE ALTE DAME AUS ARRAS (*im Diskant*). War das im Haus? ... Laß uns gemeinsam sterben, Clémentine! (*Umklammert das Mädchen.*)   25

CLÉMENTINE (*gleichgültig*). Ja, Großmama ...

MADAME BOUFFIER. Und wenn Sie jetzt auf der Straße wären, Monsieur Jacobowsky!

SALOMON (*erbleichend*). Ich höre ihn ... Der Chef d'Ilot ...

(*Heftiges Klopfen. — Die Kellertür wird aufgestoßen. Wü-* 30 *tend stürzt der für den Luftschutz des Bezirks verantwortliche*

Chef d'Ilot in den Raum. Ihm folgen zwei Gehilfen, alle in Lederjacken, mit Revolvern und Taschenlampen.)

CHEF D'ILOT. Sind Sie wahnsinnig geworden, Madame Bouffier?! Immer nur Sie und Ihr Haus stören die Ordnung. Heute
5 aber ist es das letzte Mal. Ich sollte Sie auf der Stelle verhaften. Das wäre mein Recht. Ihr Haus bringt ganz Paris in Gefahr. Ich lasse Ihr Haus morgen sperren! Dritter Stock, Straßenfront, viertes und fünftes Fenster von rechts hell erleuchtet, strahlend, festlich erleuchtet, nicht einmal die Gardinen vorge-
10 zogen, wie beim Nationalfest am vierzehnten Juli im tiefsten Frieden... Sie sind verantwortlich, Madame Bouffier. Die Sache wird ein Nachspiel haben. Nur weil ich zu viel zu tun habe, verhafte ich Sie nicht...

MADAME BOUFFIER *(die ganz blaß geworden ist)*. Mein Gott,
15 das ist wahrscheinlich der polnische Oberst, der gestern von der Front gekommen ist... Schnell, Salomon! *(Eiligst ab mit dem Concierge, dem Chef d'Ilot und seinen Leuten.)*

DER TRAGISCHE HERR. Haben Sie gehört? Dieser Chef d'Ilot schreit bereits wie ein Preuße. Aus seiner Tasche schaut das
20 Verräterblatt „Gringoire" heraus und aus seinen Augen das künftige „Heil Hitler"... Oh Frankreich!

SZABUNIEWICZ *(reibt sich den Schlaf aus den Augen)*. Das ist der Oberst mit dem Mädchen bestimmt...

DAS JUNGE MÄDCHEN. Das Radio geht wieder... Hören Sie
25 ... das Signal des nationalen Senders...

*(Aus dem Radio dringt plötzlich in kurzen, scharfen Intervallen wie ein Symbol der Verwirrung und Sinnlosigkeit die kriegerische Mittelphrase der Marseillaise. Alle blicken wie starr und von Grauen gepackt nach dem alten Kasten hin, dem
30 sich die aufrührerische Fanfare in würgender Monotonie entringt.)*

JACOBOWSKY (*murmelt bitter den Text vor sich hin*). „Aux armes, citoyens, formez vos bataillons!"...

DIE ALTE DAME AUS ARRAS (*weint laut*). Das ist ja der reinste Hohn ...

DER TRAGISCHE HERR (*in einem Ausbruch von Qual*). Ab-stellen! Abstellen!

(*Das junge Mädchen schaltet das Radio aus. — Das tiefe Schweigen wird nur durch das Schluchzen der alten Frau unterbrochen. — Man hört die schimpfende Stimme des Chefs d'Ilot wieder, die sich entfernt. — Dann treten ein Madame Bouffier, Salomon, die leichte Person und Oberst Tadeusz Boleslav Stjerbinsky, ein hoher, sehr ausgemergelter Mann in Felduniform mit vielen Auszeichnungen. Seine Bewegungen sind federnd, achtlos und gemessen zugleich. Bis auf das Polnische spricht er jede Sprache gebrochen, doch weiß er in seinen harten und rauhen Akzent stets Eleganz und manchmal sogar eine eigene Melodie zu legen.*)

MADAME BOUFFIER. Wie konnten Sie nur so unvorsichtig sein, mon Colonel?

OBERST STJERBINSKY. Es tut mir nicht wenig leid, Madame ... (*Auf die leichte Person deutend*) Ich befürchte aber, daß Mademoiselle und ich die Alarmsirenen überhört haben, wir zusammen beide ...

(*Szabuniewicz ist kein schläfriger Pole mehr sondern steht regungslos habtacht, eine Aktenmappe unterm Arm.*)

DIE LEICHTE PERSON (*sich an den Oberst schmiegend*). Nur ich bin schuld, Madame Bouffier, nur ich allein. Der Colonel kommt aus der Bataille de France. Er hat gekämpft wie ein Löwe. Er hat einen Streifschuß und fiebert ...

OBERST STJERBINSKY. Wozu reden von so etwas? Ein Schmarren! Eine Schramme!

DIE LEICHTE PERSON. Gestiefelt und gespornt hat er geschlafen
wie ein Sack, der müde Arme! Da wollt ich mich nicht rühren,
um ihn nicht zu wecken. Das ist alles ...

OBERST STJERBINSKY. Ich danke Ihnen, ma petite, daß Sie auf
5 sich nehmen die Schuld ... Die Männer Frankreichs — na, am
besten man schweigt über die Männer — die Frauen Frankreichs aber sind sehr großmütig noch immer ...

MADAME BOUFFIER. Ja, und mich zeigt der Chef d'Ilot an und
die Polizei sperrt morgen mein Hotel ...

10 DER TRAGISCHE HERR. Sehr wahrscheinlich! Adieu, fahr wohl,
Mon Repos et de la Rose ...

OBERST STJERBINSKY. Befürchten Sie nichts! Die Pariser Polizei wird keine Zeit mehr haben, Ihr Hotel zu sperren. Die
Boches arbeiten viel schneller als die Pariser Polizei ...

15 DER TRAGISCHE HERR (*mit eingekniffenen Lippen*). Soll das
heißen, Monsieur, daß die Boches keinen Widerstand mehr
finden?

OBERST STJERBINSKY. Ich war der Chef eines polnischen Regiments ... Ich kann nur sagen, was ich weiß ...

20 DER TRAGISCHE HERR. Es wäre sehr gütig von Ihnen, Colonel,
wenn Sie uns sagen wollten, was Sie wissen ...

OBERST STJERBINSKY. Ich weiß, daß mein Regiment stark war
dreitausend Mann. Ich weiß, daß wir zu verteidigen hatten an
der Somme einen Brückenkopf mit für jedes Gewehr nur acht
25 Patronen. Ich weiß, daß die Stukas verfinsterten den Himmel
und kein einziger Flieger uns zu Hilfe kam. Ich weiß, daß die
französischen Divisionen rechts und links fortwarfen die Ge-
wehre und mit Spazierstöcken davonliefen wie Sonntagsausflügler bei einem Gewitter. Sie ließen stehn ihre Geschütze und
30 Tanks. Und ich weiß, daß von meinen dreitausend Polen nur

übrig geblieben sind fünfzehn Polen. Der Fünfzehnte bin ich!

DER TRAGISCHE HERR (*totenbleich*). Demnach ist ... Paris verloren ...

OBERST STJERBINSKY. Ich befürchte sehr ...

MADAME BOUFFIER (*mit versagender Stimme*). Und wann ... 5

OBERST STJERBINSKY. Morgen, übermorgen, oder so ...

DIE GÄSTE (*springen auf und schreien durcheinander*). Man
muß sofort einpacken ... Sauf Conduit auf der Polizei holen ...
Haben Sie ein Kursbuch der Eisenbahnen ... Vielleicht geht
noch der Schnellzug sieben fünfzig nach Lyon ... Auch die 10
Strecke nach Bordeaux ist frei ... Bordeaux ist überfüllt ...
Nur schnell ... Es ist schon zwei Uhr ... Wir haben keine Zeit
zu verlieren ... (*Alles stürzt zur Ausgangstür.*)

MADAME BOUFFIER (*mit Kapitäns-Stimme*). Niemand verläßt den Raum ... Salomon, den Ausgang bewachen!   15

(*Salomon stellt sich mit ausgebreiteten Armen vor die Tür.*)

DIE ALTE DAME AUS ARRAS. Oh verzeihen Sie mir, Messieurs-
Dames, ich glaube, mir ist nicht besonders gut ... (*Sie fällt in
Ohnmacht, und zwar in Jacobowskys Arme.*)

CLÉMENTINE (*an ihrem zweiten Marron glacé kauend*). 20
Stirbt Großmama?

JACOBOWSKY. Man stirbt nicht so leicht, mein Kind ... Es ist
nichts als Angst. (*Er bettet mit Hilfe des jungen Mädchens
und Madame Bouffiers die Ohnmächtige auf eine Bank. Die
Gäste bilden eine dichte Gruppe um die alte Dame.*)   25

OBERST STJERBINSKY (*zieht eine Flasche hervor und reicht sie
der leichten Person*). Meine charmante Freundin! Wollen Sie
der erschöpften Dame dort einflößen ein paar Tropfen von diesem Cognac ... (*Die leichte Person gehorcht.*) Szabuniewicz!

SZABUNIEWICZ (*militärisch*). Hier!   30

(Der nachfolgende Dialog schnell und leise.)

OBERST STJERBINSKY. Ist Zweifelkopf gekommen, der Agent, dein Freund?

SZABUNIEWICZ. Heute Abend! Mitten durch die deutschen
5 Linien!

OBERST STJERBINSKY. Gut! Hat er das Material gebracht, wie verabredet?

SZABUNIEWICZ *(überreicht die Aktenmappe).* Die Adressen unserer Leute in Warschau, Lodz, Lwow, Krakau, die Pläne,
10 das Netz der Verbindungen, alles in Code ...

OBERST STJERBINSKY. Hat Zweifelkopf sonst mit jemand ge-sprochen von der Regierung, vom Militär?

SZABUNIEWICZ. Nein! Er ist zurückgefahren in die Schweiz. Nur der Oberst Stjerbinsky wird die Mappe sicher nach Lon-
15 don bringen, sagt er. Aus drei Gründen, sagt er. Erschtens ...

OBERST STJERBINSKY. Erschtens, weil es keinen besseren Mann gibt unter Pilsudskys Obersten ...

SZABUNIEWICZ. Erschtens nicht das! Sondern weil es keinen gibt unter Pilsudskys Obersten, der mehr Schwein hat als
20 Stjerbinsky, sagt er ...

OBERST STJERBINSKY. Und was sagt er zweitens?

SZABUNIEWICZ. Zweitens, sagt er, haben die Boches einen Preis gesetzt auf den Kopf vom Herrn Oberst. Ganze fünf-tausend Mark. Wegen der erschossenen Wachen im Königs-
25 berger Kriegsgefangenenlager. Da wird der Herr Oberst vor-sichtig sein, sagt er ...

OBERST STJERBINSKY. Sagt er ... Drittens ...

SZABUNIEWICZ. Drittens, weil ich den Herrn Oberst begleite und zuverlässig bin wie eine polnische Amme, sagt er ...
30 OBERST STJERBINSKY. Und was noch?

SZABUNIEWICZ. Wenn alle Stricke reißen und wir nirgends

durchkommen, sollen wir nach Saint Jean-de-Luz gehn. Dort
wird etwas organisiert sein, sagt er...

OBERST STJERBINSKY. Wir werden kein Saint Jean-de-Luz
brauchen...

SZABUNIEWICZ. Prosju Pane, Gutsherr mein, Vater und 5
ewiger Wohltäter, nur diesmal, fleh ich untertänigst, nur diesmal keine Weiber...

OBERST STJERBINSKY. Ich geb dir mein Ehrenwort, Szabuniewicz: Diesmal keine Weiber!... Marianne ist kein Weib sondern meine Königin. Wir holen sie ab in Saint Cyrill...   10

SZABUNIEWICZ (*sich die Stirne wischend*). Königinnen sind
schlimmer als Weiber...

DIE ALTE DAME AUS ARRAS (*die sich inzwischen erholt hat*).
Oh Messieurs-Dames, ich schäme mich ja so sehr... Danke,
danke, danke... Hast du große Angst gelitten, meine arme 15
Clémentine?...

CLÉMENTINE. Ja, Großmama...

OBERST STJERBINSKY (*laut, so daß ihn alle Gäste hören können, die nicht mehr um die alte Dame bemüht sind*). Szabuniewicz, geh hinauf in mein Zimmer. Dort liegt herum alles 20
Mögliche. Die Photographie von Marianne. Die Andenken,
die ich ihr mitbringe! Pack ein das alles! Nimm die Satteltaschen! (*Etwas leiser*) Und meinen Rosenkranz. Vergiß den
Rosenkranz nicht!

(*Szabuniewicz schiebt Salomon zur Seite und geht ab.*)   25

MADAME BOUFFIER. Nur kein Licht machen, heilige Jungfrau!

OBERST STJERBINSKY. Befürchten Sie nichts! Szabuniewicz ist
einer, der alles im Finstern findet!

(*Jacobowsky tritt mit einer leichten Verbeugung vor den
Oberst. Die Gäste bilden einen Halbkreis um beide.*)   30

JACOBOWSKY. Mon Colonel! Mein Name ist Jacobowsky!

S. L. Jacobowsky! Ein Landsmann gewissermaßen. Auch ich bin in Polen geboren...

OBERST STJERBINSKY (*kehrt ihm brüsk den Rücken*). Dagegen läßt sich nichts machen...

5 JACOBOWSKY (*unbeirrt*). Sie haben gekämpft, Colonel, Sie sind ein Held. Ich bin kein Held. Sie sind, wie ich fühle, ein starker Charakter. Ich bin nur ein nervöser Mensch. Starke Charaktere neigen zum Pessimismus. Ich bin ein Optimist. Frankreich ist mein fünftes und bestes Vaterland. Ich kann 10 Frankreich nicht so schnell verloren geben. Frankreich hat die beste Armee der Welt. Der Heeresbericht spricht noch immer von Kämpfen, fern von Paris... Ich trage stets eine militärische Karte bei mir... (*Er breitet eine große Karte auf dem Fußboden aus.*) Haben Sie die Güte, Madame Bouffier, dieses matte 15 Licht hierher zu stellen. Und nun, Colonel, helfen Sie uns! Erklären Sie die Lage! Lassen Sie uns die Stellungen der Armee betrachten...

OBERST STJERBINSKY (*kehrt sich wütend um und tritt die Karte mit Füßen*). Das ist die Lage! Das sind die Stellungen! 20 Herr... Herr... Wie heißen Sie?

JACOBOWSKY. Jacobowsky, wenn Sie gestatten...

(*Die Gäste senken die Köpfe tief und bewahren Todesschweigen.*)

DER TRAGISCHE HERR (*der schon lange Zeit, ganz zusam-* 25 *mengebrochen, abseits sitzt, murmelt vor sich hin*). Frankreich zertrampelt... Zertrampelt Paris... Paris...

JACOBOWSKY. Finden Sie nicht, daß es schade um die schöne Karte ist, mon Colonel?

OBERST STJERBINSKY. Lieber sollten Sie sich die Karte vom 30 Automobilklub anschaffen, Herr...

JACOBOWSKY. Meinen Sie?

OBERST STJERBINSKY. Aber auch die wird Ihnen nichts nützen, denn es gibt kein Öl und keine Essence mehr in Frankreich ...

JACOBOWSKY (*greift feierlich in die Tasche*). Hier ist die Karte vom Automobilklub!

OBERST STJERBINSKY. Haben Sie nicht zufällig ein Kaninchen bei sich, zwei Tauben, oder einen Hahn, der Eier legt?

JACOBOWSKY. Sie irren, Colonel! Leider bin ich kein Zauberer sondern nur ein besorgter Logiker. Unsereins muß Minen legen in die Zukunft ...

SZABUNIEWICZ (*kommt zurück*). Alles in Ordnung ...

OBERST STJERBINSKY. Der Alarm ist zu Ende. Ich spürs. Du wirst meine schöne Freundin hier nach Hause bringen, Szabuniewicz ...

DIE LEICHTE PERSON. Muß es sein?

OBERST STJERBINSKY. Die Pflicht ruft!

DIE LEICHTE PERSON. Wollen Sie mich nicht bei sich behalten, heute, morgen, übermorgen ...

OBERST STJERBINSKY (*die Mappe hochhebend*). Ich befürchte, das hier wird die einzige Geliebte sein, die mich begleitet übers Meer ...

JACOBOWSKY (*in tiefen Gedanken*). Wer weiß ob Hitler sich nicht zuerst auf England stürzt anstatt auf Paris? „Was im Leben auch geschieht, immer gibt es zwei Möglichkeiten." Das pflegte meine selige Mutter zu sagen ...

OBERST STJERBINSKY (*das Mädchen abwehrend, betrachtet Jacobowsky, heimlich fasziniert*). Was für zwei Möglichkeiten?

JACOBOWSKY (*wie eine alte melancholische Melodie*). Entweder kommen die Boches nach Paris oder sie stürzen sich zuerst auf England und kommen nicht nach Paris. Kommen sie nicht nach Paris, das ist doch gut! Kommen sie nach Paris,

da gibt es zwei Möglichkeiten. Entweder sie besetzen ganz
Frankreich oder sie besetzen nur einen Teil Frankreichs. Besetzen sie nur einen Teil Frankreichs, das ist doch gut! Besetzen sie ganz Frankreich, da gibt es zwei Möglichkeiten ...

5 OBERST STJERBINSKY (*unterbricht ihn scharf*). Ihr Glaube ist
falsch, Herr Wolfsohn ...

JACOBOWSKY. S. L. Jacobowsky, wenn ich bitten darf ...

OBERST STJERBINSKY. Einerlei! ... Ich weiß nicht, wie viele
Möglichkeiten es im Leben gibt, zwei oder fünftausend. Für
10 einen Mann aber, hören Sie, Wolfsohn, für einen wirklichen
Mann gibt es immer nur eine einzige Möglichkeit! Wie?

JACOBOWSKY. Unsere Partie, Colonel, steht zwei zu eins!

(*Schon während der letzten Worte haben die Sirenen begonnen, das Ende des Alarms anzuzeigen.*)

15 DIE GÄSTE (*während sie sich eilig durch die Ausgänge
drängen*). Man hat vielleicht noch ein paar Stunden Schlaf ...
Nein, ich werde nicht schlafen ... Ich werde sogleich an alle
Bahnhöfe telephonieren ... Mein Onkel ist pensionierter General, er weiß alles ...

20 DIE LEICHTE PERSON (*von Szabuniewicz sanft hinausge-
drängt, wendet sich noch einmal zu Stjerbinsky um*). Ich
werde Sie nie vergessen ...

OBERST STJERBINSKY (*mit Kußhand*). Danke, danke, mein
süßes Kind ... (*Er hebt die Lampe auf, in deren Schein er den
25 Inhalt der Mappe betrachtet.*)

DIE ALTE DAME AUS ARRAS (*geht als Letzte ab, gestützt von
Clémentine und dem jungen Mädchen*). Wir sind eine alte
Familie, Clémentine ... Wir müssen Haltung bewahren, Hal-
tung ...

30 CLÉMENTINE. Ja, Großmama ...

JACOBOWSKY (*betrachtet kopfschüttelnd den tragischen*

Herrn, der mit starrem Wahnsinnsausdruck ein Streichholz
nach dem andern anzündet und ausbläst). Wollen Sie damit
etwas beweisen?

DER TRAGISCHE HERR *(vor sich hin träumend).* Was ist Paris?
Was ist Frankreich? Was ist die Menschheit? In jeder von 5
diesen kleinen Flammen entstehen und vergehen Weltsysteme,
Sonnen, Erden, Menschheiten, Millionen Kriege, Siege, Niederlagen... Was ist Paris? *(Tränen laufen ihm über die Wan-*
gen.)

OBERST STJERBINSKY *(die Mappe wieder unterm Arm, die* 10
Lampe in der Hand, eine Zigarette im Mund). Erlauben Sie...
(Er steckt die Zigarette an einem Streichholz des tragischen
Herrn an.)

JACOBOWSKY. Sie haben Ihre Zigarette an einem Weltbrand
entzündet, Colonel!   15

OBERST STJERBINSKY. Warum nicht? Herr... *(Ihm fällt der*
Name nicht ein. Er geht starken Schrittes ab, die Lampe mit-
nehmend.)

(Dasselbe blaue Licht wie zu Anfang der Szene. — Nur
mehr Jacobowsky, Madame Bouffier und Salomon sind da.) 20

MADAME BOUFFIER. Vielleicht ist doch ein Wunder geschehn... Das Radio, Salomon...

(Salomon dreht das Radio auf.)

JACOBOWSKY. Ich werde auf jeden Fall ein Auto brauchen,
Salomon...   25

MADAME BOUFFIER. Hören Sie!

DAS RADIO. ...übertragen den Hilferuf des französischen
Ministerpräsidenten nach England und den Vereinigten
Staaten... Le Président du Conseil, Monsieur Reynaud...

STIMME DES MINISTERPRÄSIDENTEN REYNAUD. La situation est 30
grave...

DES ERSTEN AKTES
ZWEITER TEIL

Vor dem Hotel „Mon Repos et de la Rose"

(Einer der kleinen stillen Pariser Plätze auf dem linken Seine-Ufer. Eine angejahrte, einst prächtige Limousine vor der bescheidenen Front des Hotels. Man sieht ein kleines Stück einer der Seitengassen. Morgengrauen. In der Ferne hört man
5 *dann und wann ein sonderbar schleppendes Geräusch wie von hunderttausend Füßen, die unter schweren Lasten über den Pariser Asphalt traben. — Der Chauffeur eines reichen Hauses und Jacobowsky.)*

CHAUFFEUR *(mit der unüberwindlichen Beredsamkeit eines*
10 *alten gewiegten Gamins).* Belieben Sie, Monsieur, nichts als die simplen Fakten zu wägen. Die Boches stehen bereits in Meaux...

JACOBOWSKY. Das Radio spricht erst von Compiègne...

CHAUFFEUR. Das Radio ist nicht für die Wahrheit erfunden
15 worden. Bestenfalls stehen die Boches in Meaux. Schlimmstenfalls werden sie morgen, was sag ich, heute abend über die Champs Elysées marschieren. Hier aber vor Ihnen steht eines der teuersten und treuesten Automobile bereit, Sie nach dem Westen oder Süden Frankreichs in Sicherheit zu bringen. Sie
20 haben keine Wahl, Monsieur...

JACOBOWSKY *(mit einer Taschenlampe die Räder ableuchtend).* Sagen Sie das nicht! Es verletzt mich! Noch den Strick

28

um den Hals werd ich an den freien Willen glauben...

CHAUFFEUR. Danken Sie lieber dem Schicksal, das mich Ihnen in den Weg geführt hat. All die zehntausend Hispano-Suizas, Rolls-Royces, Buicks, Packards sind auf und davon gefahren. Seit gestern gibt es in der Ville Lumière, in unserer 5 Stadt des Lichtes, der Aufklärung und des Verkehrs nur mehr ein paar Taxis und die verstecken sich. Sollten Sie in irgendeiner Garage noch auf einen Wagen stoßen, so ist er weniger wert als altes Eisen. Denn wo nehmen Sie Essence her, Monsieur, ja woher Essence, dieses Blut des Lebens?... Ist Ihnen 10 übel? Sie sehen schlecht aus...

JACOBOWSKY. Wieso übel? Wer sieht gut aus um halb sechs Uhr früh?

CHAUFFEUR. Tenez votre morale, Monsieur! Halten Sie Ihre „Morale" hoch. Das ist die Hauptsache. Wenn alles schief geht, 15 haben wir doch unsre „Morale"...

JACOBOWSKY. Ich würde Sie bitten, meine „Morale" durch kürzere Sentenzen zu schonen!

CHAUFFEUR. Es wird Ihrer „Morale" jedenfalls zustatten kommen, wenn Sie hören, daß dieses Auto, das Ihr Leben 20 retten wird, aus einem vornehmen Stall kommt... Raten Sie...

JACOBOWSKY. Ich übe jede Selbstbeherrschung, mein Freund, aber einen Kopf für Rätsel hab ich heute nicht...

CHAUFFEUR (*pompös vertraulich*). Rothschild...   25

JACOBOWSKY. Baron Rothschild...

CHAUFFEUR. Ich wußte, daß dieser Name in Ihren Ohren Musik sein wird, Monsieur...

JACOBOWSKY (*träumerisch*). Ich stand in Verbindung mit dem Hause Rothschild...   30

CHAUFFEUR. Ich stehe noch immer in Verbindung mit dem

Hause Rothschild. Als Chef des Wagenparks. Die Familie hat schon vor Wochen Paris verlassen. Denn wissen Sie, in puncto Rothschild da verstehen die Boches keinen Spaß. Die beiden Rolls-Royces sind mit und der neue Cadillac auch ...

5   JACOBOWSKY. Was geht mich das alles an?

CHAUFFEUR. „Mein guter Philibert," sagte der Baron beim Abschied zu mir, „der Wagen ist mir besonders ans Herz gewachsen, aber handle nach deinem Gutdünken, nur den Boches soll er nicht in die Hand fallen, Philibert ..."

10   JACOBOWSKY. Ich lausche Ihnen ehrfürchtig seit fünfzehn Minuten. Am Ende Ihrer Meistererzählungen werden die Deutschen die Stadtgrenze erreicht haben. Kommen Sie zur Sache ...

CHAUFFEUR. Sie sind der Mann meines Gutdünkens, Mon-
15 sieur! Ich weiß, der Baron wäre glücklich, Sie, gerade Sie zum Nachfolger zu haben ...

JACOBOWSKY. Zur Sache! Was kostet der Wagen?

CHAUFFEUR. Die Räder sind wie neu!

JACOBOWSKY. Ich muß es glauben ...

20   CHAUFFEUR. Und das Wichtigste! Er ist gefüllt bis oben mit bester Essence, prima Lebensblut. Mobiloil! Wissen Sie, was das bedeutet heutzutage?

JACOBOWSKY. Ich weiß es. Was kostet der Wagen?

CHAUFFEUR. Einen Fliegenschiß!

25   JACOBOWSKY. Was kostet ein Fliegenschiß?

CHAUFFEUR. Vierzigtausend Francs!

JACOBOWSKY. Ich leide manchmal an Gehörsstörungen ...

CHAUFFEUR. Was haben Sie gehört? Ich habe fünfunddreißig gesagt.

30   JACOBOWSKY. Au revoir!

CHAUFFEUR. Halten Sie Ihre „Morale" hoch, Monsieur!

JACOBOWSKY. Das tue ich soeben!

CHAUFFEUR. Was kann Ihnen das Geld bedeuten? Heute!

JACOBOWSKY. Solang ich habe, nichts! Aber die Morale bedeutet mir etwas. Solche Wagen find ich hundertzwanzig. Salomon hat noch andere Adressen. Danke bestens... (*Wendet* 5 *sich zum Gehen.*)

CHAUFFEUR. Ich erwarte Ihre Gegenvorschläge, Monsieur...

JACOBOWSKY. Verkaufen Sie die Limousine an ein Museum!...

CHAUFFEUR. Dort wird man sie gewiß neben der Karosse 10 Ludwig des Vierzehnten aufstellen! Sonst haben Sie nichts zu bieten?

JACOBOWSKY. Keine zehntausend ist der klapprige Veteran wert!

CHAUFFEUR. Zehntausend begehrt heut jeder Lastwagen, 15 wenn er Sie hinten aufsitzen läßt. Dies aber ist ein Auto, in dem ein Baron, und mehr als das, ein Bankmagnat, Entspannung fand. In diesem Auto fuhren ein Präsident der Republik und unzählige Minister...

JACOBOWSKY. Vielleicht auch noch der alte Clemenceau. 20

CHAUFFEUR. Ein guter böser Mann, der alte Clemenceau! Geben Sie fünfundzwanzigtausend!

JACOBOWSKY. Die Rechtslage ist sehr verworren. Ich kann nicht nachprüfen, ob Sie befugt sind, den Wagen anzubieten... Ich nenne als letzten Preis fünfzehntausend! 25

CHAUFFEUR. Ich bin ein gesetzter Familienvater, der den Schrecken der Occupation entgegenblickt...

JACOBOWSKY. Die Occupation wird selbst d i e s e n Wagen konfiszieren, obwohl er nicht einmal ein Reserverad besitzt!

CHAUFFEUR (*hoheitsvoll*). Schicksal ist Schicksal! 30

JACOBOWSKY. Es ist ein irreguläres Geschäft. Ich will keine

Untersuchungen anstellen. Ich kaufe mit Bewußtsein eine alte
Katz im Sack ... Sechzehntausend bar! Ja oder Nein?

CHAUFFEUR (*entblößt seinen Arm*). Was ist das?

JACOBOWSKY. Haben Sie einen Autounfall gehabt?

5 CHAUFFEUR. Nicht einmal im Traum!

JACOBOWSKY. Hat ein wilder Hund Ihren Arm zerfleischt?

CHAUFFEUR. Die Boches haben meinen Arm zerfleischt,
Herr ... Verdun!

JACOBOWSKY (*greift sich an den Kopf*). Verdun! ... Ich werde
10 verrückt ... Ils ne passeront pas ... Sie sind durchgekom-
men ... Die Siege von gestern werden zu Niederlagen von
heute ...

CHAUFFEUR. Sie benachteiligen also einen ehemaligen Kämpfer von Verdun!

15 JACOBOWSKY. Zwanzigtausend! und nur wegen Verdun! (*Er
zählt die Scheine ab.*)

CHAUFFEUR. Hier ist die Carte grise ... Sie brauchen bloß
Ihren Namen einzusetzen und Rothschilds Limousine gehört
Ihnen vor Gott und Menschen ... (*Empfängt das Geld.*)

20 JACOBOWSKY (*den Chauffeur traurig anblickend*). Ich bin ein
internationaler Expert für Finanzwesen. Ich habe die berühmte
Dollar-Anleihe der Stadt Baden-Baden zustande gebracht ...
Und jetzt überzahle ich, nur wegen des Wortes „Verdun", ohne
jede Garantie dieses Vehikel, von dem ich nicht einmal weiß,
25 ob es überhaupt vom Fleck kommt. So tief sinkt man im
Exil! ... Die Türen schließen schlecht. Die Schutzscheibe ist
zerbrochen. Überall Kratzer. Öffnen Sie die Motorhaube!

CHAUFFEUR (*gehorcht, anerkennend schmunzelnd*). Monsieur kennt sich aus ...

30 JACOBOWSKY. Ich erblicke ein schmutziges Kohlenbergwerk,

wo seit zehn Jahren gestreikt wird... Der Motor ist eine
Ruine...

CHAUFFEUR (*gekränkt*). Der Motor, mein Herr, arbeitet wie
mein eigenes Herz.

JACOBOWSKY. Was weiß ich, wie Ihr eigenes Herz arbeitet... 5

CHAUFFEUR. Setzen Sie sich doch an den Volant und probieren
Sie den Motor aus! Hier ist der Schlüssel...

JACOBOWSKY. Wozu dieses Schlüsselchen?...

CHAUFFEUR (*starrt ihn an*). Wozu dieses Schlüsselchen?

JACOBOWSKY (*düster zerstreut*). Ach so! Natürlich...   10

(*Der Chauffeur öffnet höflich die Tür. Jacobowsky setzt sich
umständlich ans Steuer.*)

CHAUFFEUR. Sie werden sehn, er fährt so weich an wie die
Liebe einer Mutter... Wohlan, Monsieur! Lockern Sie die
Bremse! Geben Sie Gas!...   15

JACOBOWSKY (*regungslos, träumerisch*). A propos, da fällt mir
gerade ein, daß ich persönlich nicht zu fahren pflege... Als ich
Präsident war, stand ein Chauffeur stets in meinen Diensten.
Uniform, strenges Dunkelblau! Es war ein nobler Mann und
trug den Bart des Kaisers Franz Joseph! (*Der tragische Herr ist* 20
inzwischen aus dem Hotel getreten. Unter seinem weiten have-
lockartigen Mantel wird ein bescheidenes Gepäckstück sicht-
bar, das er in der Hand trägt. Er macht ein paar sehr tiefe
Atemzüge, als wolle er sich noch zum letzten Mal mit Pariser
Luft vollsaugen.) Einen schönen guten Morgen, Monsieur! 25
Haben Sie ausreichend geschlafen?...

DER TRAGISCHE HERR. Was kümmert Sie das?

JACOBOWSKY. Sie sind gewiß im Begriff, Paris zu verlassen?

DER TRAGISCHE HERR. Was kümmert Sie das?

JACOBOWSKY. In diesem Fall möchte ich Sie einladen...   30

DER TRAGISCHE HERR (*unterbrechend*). Ich lehne die Einladung ab ...

JACOBOWSKY. Auf welche Weise aber wollen Sie an Ihr Ziel kommen?

5 DER TRAGISCHE HERR. Ich habe kein Ziel ...

JACOBOWSKY. Doch auch ohne Ziel, wie ...

DER TRAGISCHE HERR. Zu Fuß ... zu Fuß ... zu Fuß ... Wie die meisten ... Still! Hören Sie!

(*Fern wird das unaufhörlich dichte Getrappel von Millionen*
10 *Schritten deutlicher vernehmbar.*)

JACOBOWSKY (*greift sich ans Herz*). Was ist das? Sind das schon die Deutschen?

DER TRAGISCHE HERR. Noch nicht die Deutschen ... Die Pariser!

15 CHAUFFEUR. Ja, das sind die Pariser!

(*Der tragische Herr tritt etwas vor, als spräche er nicht zu*
Jacobowsky, sondern zur ganzen Welt oder zu sich selbst.
Zugleich geht das Geschleppe und Getrappel der Schritte in
Musik über, welche seine Rede begleitet und rhythmisiert.
20 *Während dieser Rede aber treten aus der Tür des Hotels die*
Gäste, einzeln oder paarweise, mit Gepäck beladen, gehen,
sorgenvoll mit einander flüsternd, über die Bühne und ver-
schwinden in der Seitengasse. Es ist wie ein sonderbares Ballett,
das die Worte des tragischen Herrn anschaulich macht.)

25 DER TRAGISCHE HERR. Die Pariser gehn, gehn, gehn. Sie ziehen zu den Bahnhöfen. Aber die Bahnhöfe sind tot, denn keine Züge werden mehr abgelassen. Da wenden die Pariser ihren Schritt und gehn und gehn durch die langen Vorstadtzeilen, tausend, zehntausend, hunderttausend, alle mit Sack und
30 Pack, junge Frauen, alte Männer, kleine Kinder und Groß-mütter, die Geschäftsleute und die Ärzte, die Commis und die

Advokaten und die Wirte der Bistros und die Kellner und die
Coiffeure und die Deserteure und die Mieter des Hauses und
der Concierge und die Hunde, und nur die Katzen bleiben
daheim. (*Die ersten Gäste sind gekommen und gegangen.*) In
den Beinen hats uns gepackt, und die Beine, sie müssen gehn 5
und gehn. Unsre Beine haben noch einen Vorsprung von vierundzwanzig oder von achtundvierzig Stunden. Dann sind die
Boches da, und wo wir sein werden und was mit uns geschehen
wird, das weiß Gott und Saint Denis und Sainte Geneviève
allein. (*Neue Gäste.*) Hören Sie? Das sind keine Maschinenge- 10
wehre, das sind die letzten Rollbalken, die an den Schaufen-
stern niederrasseln, Lafayette und Trois Quartiers und Potin
und die Prachtläden der Rue de la Paix. Hören Sie's nicht?
(*Neue Gäste.*) Die Champs Elysées und die Place de la Concorde und die Inneren Boulevards und die Äusseren Boulevards, 15
sie sperren ab und sie wandern mit, hinaus nach West und
Südwest über die großen Landstraßen. Und was zurückbleibt,
das ist nicht mehr die Place de la Concorde und Vendôme und
der Boulevard Malesherbes und des Italiens, das sind Fassaden
und Kulissen und ein alter flimmernder Film. (*Die alte Dame* 20
aus Arras und Clémentine kommen und gehen als Letzte.
Hinter ihnen schiebt ein kleiner Junge das Gepäck auf einem
Handkarren.) Wenn die Boches einmarschieren, wird Paris ein
schmutziger Sarg sein, in dem nicht einmal mehr ein Leichnam liegt. Ich aber bin in Paris geboren und ich gehöre zu 25
Paris und ich ziehe fort mit Paris aus Paris. Und ich will nicht
fahren, sondern ich will gehn und gehn mit den andern und
mit den wandernden Boulevards, stundenlang, tagelang. Denn
wenn die Beine schmerzen, dann tut das Herz weniger weh ...
(*Er geht langsam ab mit langen steifen Schritten.*)   30
    JACOBOWSKY (*der ihm gebannt nachgeblickt hat, nach einem*

langen, gedankenvollen Schweigen). Ich möchte so schnell wie möglich den Atlantischen Ozean erreichen. Es gibt ohne Zweifel noch immer Schiffe, die einen nach England oder Amerika bringen ... (*Zum Chauffeur*) Wären Sie gesonnen, mon ami,
5 für einen guten Preis mein Führer zu sein?

CHAUFFEUR. Oh, Monsieur, ich denke ganz anders als jener sonderbare Herr dort. Ich könnte jetzt gerade Paris weniger verlassen als ein Mann seine sterbende Mutter ...

MADAME BOUFFIER (*tritt, tief niedergeschlagen, aus dem Ho-
10 tel*). Mein Haus ist leer. Ich habe keinen Mut mehr. Ich bin eine alte gebrochene Frau ...

JACOBOWSKY. Meine gute Madame Bouffier! Jeder Mensch hat im Herzen ein heimliches Tabernakel, wo die fünf bis sieben Dinge wohnen, an denen er hängt. Eines dieser Dinge
15 heißt bei mir Paris und das Hotel „Mon Repos et de la Rose", wo ich zwischen Flucht Nummer Vier und Fünf ein wenig aufatmen durfte ...

MADAME BOUFFIER. Sie sind ein treuer Mensch ...

JACOBOWSKY. Das bin ich wirklich. Und ich will Ihnen meine
20 Treue praktisch beweisen. Sie wissen, daß ich als überzeugter Optimist bei Ausbruch des Krieges kostbare alte Möbel gekauft habe, um später einmal mir eine Wohnung einzurichten. Hier ist das Lagerverzeichnis und die Anweisung an den Spediteur. Schmücken Sie Ihr Haus mit diesen Möbeln!

25 MADAME BOUFFIER. Ich werde sie aufbewahren für Sie. Denn vielleicht finden Sie doch noch eine Frau, die Sie liebt.

JACOBOWSKY. Was sollte eine Frau lieben an mir? Ich kann nicht einmal die berechtigte Minimalforderung des Weibes erfüllen: fester Wohnsitz und kein Bauch ... Meinen Schrank-
30 koffer lasse ich Ihnen ebenfalls zurück. Ich nehme nur meine Handtasche mit und die Teppiche, die Teppiche selbstver-

ständlich. Hat Salomon die Teppiche schon zusammengerollt?

MADAME BOUFFIER (*ins Haus rufend*). Salomon... Die Sachen von Monsieur Jacobowsky...

JACOBOWSKY. Sie werden es vielleicht nicht verstehen, aber ich hänge sehr an diesen beiden Teheran-Teppichen. Es sind hoch- 5 wertige Prachtstücke. Sie haben einst den Kiosk des Sultans Abdul Hamid geschmückt. Und in mein neues Exil nehme ich wenigstens eine Illusion von Besitz mit...

(*Szabuniewicz erscheint in der Seitengasse. Hinter ihm ein als Cowboy verkleideter Greis, der zwei Pferde am Zügel führt.* 10 *Szabuniewicz winkt ihm, in der Gasse stehen zu bleiben. Er selbst beginnt ungeduldig vor dem Hotel zu patrouillieren. Er trägt einen steifen Hut und Handschuhe.*)

MADAME BOUFFIER (*auf den Chauffeur weisend*). Und dieser Herr wird Sie an die Grenze führen? 15

CHAUFFEUR. Auf keinen Fall, Madame! Ich gehöre zu den eingefleischten Parisern, die nicht einmal die Boches aus Paris vertreiben können...

(*Der Concierge Salomon schleppt zwei schwere eingerollte Teppiche aus dem Hotel, nachdem er zuerst Jacobowskys* 20 *Handtasche gebracht hat.*)

JACOBOWSKY (*seufzt*). Salomon, was wird aus Ihnen werden... Ich sorge mich um Sie, Salomon...

SALOMON (*unter der Last keuchend*). Was weiß ich, was aus mir werden wird?... Ich hab's nie gewußt... Ich bin ein Fin- 25 delkind der israelitischen Gemeinde. Es gibt wenige Findelkinder unter uns. Ich bin eine enorme Rarität meiner Rasse...

MADAME BOUFFIER (*resolut*). Den Schutz von Salomon übernehme ich. Und wenn ich ihn im Keller verstecken müßte und 30 Tag und Nacht Wache stehn davor! (*Salomon beginnt mit*

Hilfe des Chauffeurs die großen Teppiche im Fond des Wagens
zu verstauen. Jacobowsky geht mit Madame Bouffier die Liste
des Spediteurs durch, sodaß sie den folgenden Dialog nicht
hören. Oberst Stjerbinsky erscheint im Portal. Mit dem Fuß
5 *stößt er seinen prallen Offiziersrucksack auf das Trottoir. Un-*
ter den Arm geklemmt trägt er die Aktentasche, in der rechten
Hand einen Geigenkasten, in der linken seine Satteltaschen. Er
ist in einen enganliegenden grauen Zivilanzug gekleidet, des-
sen Ärmel etwas zu kurz sind. Madame Bouffier, mit einem
10 *Blick auf den Oberst, zu Jacobowsky*) Das sind meine letzten
Gäste, diese Polen! Ein attraktiver Mann, der Oberst! Aber ich
weine ihm keine Träne nach...

OBERST STJERBINSKY (*halblaut zu Szabuniewicz*). Was ist mit
dem Flugzeug?

15   SZABUNIEWICZ. Sie haben sich halb tot gelacht...

OBERST STJERBINSKY. Und unser Vizekonsul?

SZABUNIEWICZ. Seit vorgestern mit allen drei Wagen in
Bordeaux...

OBERST STJERBINSKY. Und unsre polnische Regierung in
20 Angers und unser Generalstab?

SZABUNIEWICZ. Bereits seit einer Woche in London!

OBERST STJERBINSKY. Uns aber lassen sie in der Tinte sitzen!
Hast du aufgetrieben einen Wagen?

SZABUNIEWICZ. Wenn man schon einen Chauffeur findet, so
25 verlangt er, daß man vorausbezahlt eine haushohe Summe und
um Essence einreicht beim Ministerium für Transportwesen.
Haben Sie eine haushohe Summe? Also!

OBERST STJERBINSKY. Ich muß spätestens morgen abends in
Saint Cyrill sein. Marianne wartet... Und die Dokumente
30 müssen nach London...

SzabuNIEWICZ. Das hätte sich der Herr Oberst gestern sagen
sollen, anstatt mit der jungen Dame ...

OBERST STJERBINSKY. Gestern ist gestern. Heute vor Sonnenaufgang war ich in der Kirche nebenan, hab den Priester ge-
weckt, gebeichtet und bereut. Meine Seele ist rein für Mari- 5
anne ...

SzabuNIEWICZ. Hätten wir nicht, wie sagt man, gegen Madame eine gute Force majeure, nicht nach Saint Cyrill ...

OBERST STJERBINSKY. Die einzige Force majeure ist mein lie-
bevolles Verlangen nach dieser Frau ... Schau also, daß du 10
zwei anständige Pferde verschaffst ...

SzabuNIEWICZ. Pferde?! Das ist doch das reinste Mittelalter ...

OBERST STJERBINSKY. Was weißt du vom reinsten Mittelalter?
Ein Masseur! Was verstehst du von Pferden? Ein Irrenwärter! 15
Ein gutes Pferd legt zurück im Tag mehr Kilometer als ein
Medium-Tank. Ein Pferd braucht keine Essence sondern nur
ein bißchen Hafer und Heu. Ein Pferd trabt neben der ver-
stopften Straße durch die Felder. Also!

SzabuNIEWICZ. Wenn der Herr Oberst lieb und brav ist und 20
nicht nach Saint Cyrill reitet, sondern nach Bordeaux, da hätt
ich vielleicht ...

OBERST STJERBINSKY. Was für Gerede ...

SzabuNIEWICZ. Szabuniewicz kennt die Wünsche seines Guts-
herrn und Wohltäters auswendig ... Geruhen zu schaun ... 25
(Er winkt. Die Pferde erscheinen in der Mündung der Seiten-
straße.)

OBERST STJERBINSKY (breit lächelnd). Pferde ... (Er beginnt
die Schindmähren sogleich zu untersuchen.)

SzabuNIEWICZ. Brave französische Nichols ... Ganz billig ... 30

OBERST STJERBINSKY (*sein Gesicht verdüstert sich*). Du bist ein Idiot!... Das sind keine Medium-Tanks, das sind nicht einmal Pompe-funèbre-Gäule, das sind Mumien des Altertums...

5 SZABUNIEWICZ (*gekränkt*). Sie gehören zum Vergnügungspark in Neuilly...

OBERST STJERBINSKY. Sie brechen zusammen, wenn die Huren am Sonntag auf ihnen in der Manege reiten... Schick ihn fort!

10 SZABUNIEWICZ. Er bekommt ein Trinkgeld... (*Oberst Stjerbinsky greift in die Tasche und reicht ihm etwas.*) Was ist das?

OBERST STJERBINSKY. Die Silbermedaille für das Hubertusrennen auf Schloss Radziwill. Erster Preis...

SZABUNIEWICZ. Zehn Papierfrancs wären ihm lieber...

15 OBERST STJERBINSKY. Sie ist fünfzig wert... Ich muß sparen mit dem Bargeld!

(*Greis mit Pferden ab.*)

JACOBOWSKY (*der den Obersten im Umgang mit Pferden fasziniert beobachtet hat, nähert sich ihm, nach einem sicht-*
20 *baren Seelenkampf, äußerst formell*). Mon Colonel! Sind Sie Automobilist?

OBERST STJERBINSKY. Ich bin Kavallerist!...

JACOBOWSKY. Die moderne Kavallerie pflegt motorisiert zu sein.

25 OBERST STJERBINSKY (*mit finsterem Stolz*). Nicht in Polen!

JACOBOWSKY. Ich zweifle nicht, daß Sie ein Auto lenken können.

OBERST STJERBINSKY. Ist die Straße schnurgerade, fahre ich sehr brilliant. Kurven hasse ich. Zum Chauffieren dient mir
30 meist meine Ordonnanz.

JACOBOWSKY. Das genügt, mon Colonel. Sie können lenken.

Ich nicht. Die Zeit drängt. Sie streben zum Ozean. Ich ebenfalls. Wir ergänzen uns also. Hier steht mein neuer Wagen ...

OBERST STJERBINSKY. Ich erinnere mich Ihres Namens. Sie sind Herr Leibowicz ...

JACOBOWSKY. Verzeihung, Jacobowsky, S. L. Jacobowsky ... 5

OBERST STJERBINSKY. Und Sie sind Pole?

JACOBOWSKY. Ich bin unter anderm auch Pole. Das heißt, ich bin sogar in erster Linie Pole, weil in Polen geboren ...

OBERST STJERBINSKY. Wo sind Sie geboren in Polen?

JACOBOWSKY. In dem Dorfe Studno bei Radom ... 10

OBERST STJERBINSKY (*behaglich*). Schau, schau, Studno bei Radom ... Dort besaß einst mein Vater ein großes Gut ...

JACOBOWSKY (*die Augen mit einem Lächeln aufschlagend*). Dort besaß mein Vater kein großes Gut ...

OBERST STJERBINSKY. Hat mit geistigen Getränken gehandelt, 15 der Papa? ...

JACOBOWSKY. Nicht gerade mit Getränken, aber mit Geist ein wenig ... Er hat die jüdischen Kinder in biblischer Geschichte unterrichtet, Kain und Abel, David und Goliath, wissen Sie, und Ähnliches ... 20

OBERST STJERBINSKY. Herr ... Herr ... Ich komme Ihnen so schwer auf den Namen ... Ich hoffe, Sie sind polnischer Patriot!

JACOBOWSKY (*die Hand auf dem Herzen*). Ich bin fest entschlossen dazu!

OBERST STJERBINSKY. Durch diesen Wagen werden wir 25 wichtige Dokumente unsres Freiheitskampfes der Gefahr entreißen ...

JACOBOWSKY. Ich sehe mit Vergnügen, daß Sie meine Einladung angenommen haben, Herr Oberst ...

OBERST STJERBINSKY. Die Zeit drängt ... Lassen Sie diese 30 Teppiche aus dem Auto schaffen ...

JACOBOWSKY. Um Verzeihung! Diese Teppiche sind sehr wertvoll. Sie sind die Freude aller Kenner. Sie sind gewissermaßen das Letzte, was mir geblieben ist. Sie sind die Symbole einer Heimstätte mitten in meiner Heimatlosigkeit. Sie dienen
5 der Erhaltung meiner Menschenwürde. Man wird sie als Hausrat über die Grenze lassen. Diese Teppiche bedeuten mir sehr viel ...

OBERST STJERBINSKY. Ich bin nicht gewohnt, zu reisen in einem Möbelwagen. Ich bin einer von Pilsudskys Obersten.
10 Und außerdem muß der Fond leer bleiben zu einem bestimmten Zweck ...

JACOBOWSKY. Warum muß der Fond leer bleiben?

OBERST STJERBINSKY. Ich liebe es nicht, meine Pläne zu begründen. Und ich hasse schwer beladene Gefährte. Meine De-
15 vise ist: Leichtes Gepäck!

JACOBOWSKY. Entschuldigen Sie! Diese Limousine habe schließlich ich von dem Manne hier erworben ...

CHAUFFEUR. Für einen Fliegenschiß, Monsieur ...

OBERST STJERBINSKY. Sie müssen sich klar machen beizeiten,
20 Herr ... (*Zu Szabuniewicz*) Wie heißt er?

SZABUNIEWICZ. Herr Jacobowsky ...

OBERST STJERBINSKY. Sie retten, Herr Jacobowsky, in diesem Wagen nicht nur Ihre bescheidene Person, sondern Sie dienen indirekt einem höheren Zweck.

25 JACOBOWSKY. Hoffentlich ...

OBERST STJERBINSKY. Na also! Seien Sie stolz!

JACOBOWSKY (*nach einer traurigen Pause*). Nehmen Sie die Teppiche aus dem Wagen, Salomon ... (*Salomon führt langsam unter stummem Protest den Befehl aus.*) Madame Bouf-
30 fier! Bewahren Sie diese Teppiche als weiteres Andenken an mich ...

MADAME BOUFFIER. Das ist unmöglich. Warum lassen Sie sich auf solche Art behandeln?

JACOBOWSKY. Ich weiß es selbst nicht, Madame Bouffier... Der Oberst und ich sind gewissermaßen Mitarbeiter. Am Werk der Flucht. Mitarbeiter müssen einander Opfer bringen. Ich bin 5 bereit dazu! Wer braucht heutzutage Abdul Hamids Teppiche...

SZABUNIEWICZ. Bitte Platz zu nehmen, die Herren... Die Boches marschieren...

JACOBOWSKY (*hat die Automobilkarte hervorgezogen*). Unser 10 Weg geht über die großen Boulevards, Place de la Bastille, Ivry, auf die Route Nationale nach Westsüdwest...

OBERST STJERBINSKY (*ohne in die Karte zu blicken*). Unser Weg geht über die Champs Elysées, Saint Cloud, Versailles, auf die Route Nationale nach Westnordwest...   15

JACOBOWSKY (*heftiger Schweißausbruch*). Westnordwest?! Sie sagen das nicht im Ernst! Wollen Sie den deutschen Divisionen in die Arme laufen?

OBERST STJERBINSKY. Überlassen Sie die taktischen Probleme mir!... Im Süden und Westen sind alle Straßen von 20 Flüchtlingen verlegt. Haben Sie kein Vertrauen in einen polnischen Oberst?

JACOBOWSKY. Verrückterweise hab ich sogar ein Körnchen Vertrauen unter einem Berg von Zweifel... Schließlich aber ist es doch mein Wagen, obwohl von Sekunde zu Sekunde die 25 Überzeugung in mir hinschmilzt, daß es mein Wagen ist...

OBERST STJERBINSKY. Mein Wagen! Was heißt das, Jablobowsky, im Weltuntergang? Kann jemand sagen, dieses Rettungsboot ist mein Rettungsboot auf stürmischem Meer?... Und außerdem hol Sie der Teufel! Sie scheinen nicht zu ver- 30 stehn, was es bedeutet, daß ich mich einladen lasse von Ihnen!

Ich verzichte auf Ihren Rumpelkasten! Pferde sind auf jeden
Fall besser. Komm, Szabuniewicz!

JACOBOWSKY. Nein! Ich bitte Sie. Es ist alles in Ordnung. Ich
bin ein nervöser Mensch. Sie sind ein hoher Offizier. Sie sind
5 Stratege. Sie sind erzogen zu Umsicht und Initiative. Sie dienen
einem höheren Zweck. Sie müssen so schnell wie möglich den
Atlantischen Ozean erreichen. Ich bin unter Ihrem Schutz. Die
Logik spricht für Sie!

SZABUNIEWICZ (*vertraulich zu Jacobowsky*). Da läßt sich
10 nichts machen. Es ist wegen der Dame ...

JACOBOWSKY (*verstört*). Was für eine Dame? Wozu eine
Dame?

SZABUNIEWICZ. Cœur Dame ... Man kann sich aber auf sein
Glück verlassen ...

15 MADAME BOUFFIER. Oh Gott, mein Freund! Können Sie
nicht noch schnell einen andern Fahrer finden?

JACOBOWSKY. Zu spät! Die Entscheidung ist gefallen. Ich bin
wie hypnotisiert von meinem Schicksal.

MADAME BOUFFIER. Diese Leute werden Ihr Tod sein ...

20 JACOBOWSKY. Man hat so wenig Wahl heute zwischen Tod
und Tod ... (*Oberst Stjerbinsky hat sich an das Steuer gesetzt,
neben ihm Szabuniewicz. Jacobowsky tröstet Madame Bouffier
mit heiterer Stimme.*) Keine Sorge um mich, ma chère amie!
Ich habe ein gutes Vorgefühl. Die Sache wird interessant ...
25 Wir sehn uns wieder ... (*Er küßt ihr die Hand. Sie zieht ihn
an sich.*) Salomon, meine Post ...

SALOMON. Wohin soll ich die Post schicken? ...

JACOBOWSKY (*drückt ihm die Hand*). In mein Vaterland
Nummer Sechs. Diesseits oder Jenseits! Adresse folgt ... (*Er
30 nimmt Platz im Fond des Autos.*)

(*Oberst Stjerbinsky tritt wütend auf den Gashebel. Der Wagen reagiert nicht.*)

OBERST STJERBINSKY. Psia krew! Was ist das? Ich gebe dem Luder die Sporen. Und es rührt sich nicht ...

JACOBOWSKY (*verliert plötzlich seine Fassung und keucht*). Ich bin betrogen! Ich bin hereingefallen! Der Motor ist eine Ruine ...

CHAUFFEUR (*hoheitsvoll*). Nur Ruhe, mein Herr! Der Wagen ist das tadellose Objekt eines großen Hauses. Ich bin hergekommen mit ihm und Sie werden mit ihm fortkommen ... Die Batterie muß frisch geladen werden. Weiter nichts. Um die Ecke ist eine Garage. Bitte aussteigen und anschieben, Messieurs! Nur zwanzig Meter ...

OBERST STJERBINSKY (*indem er aussteigt, zu Jacobowsky, der ebenfalls ausgestiegen ist, mit Bitterkeit*). Da sehen Sie, was man mit Ihnen für Schwierigkeiten hat! Und gleich zu Beginn!

JACOBOWSKY. Ja, das fängt wirklich gut an ...

(*Die lauten Stimmen haben inzwischen einige Pariser angezogen, kleine Kinder und alte Leute an Krücken und Stöcken, die zu schwach sind, die Stadt zu verlassen.*)

CHAUFFEUR. Anschieben, Messieurs, anschieben!

OBERST STJERBINSKY. Halt! Niemand weiß, was vor uns liegt! Es ist daher sehr notwendig, den Himmel anzurufen vor der Abreise ... (*Streng zu Jacobowsky*) Das gilt auch für Sie, Herr Ja ...

SZABUNIEWICZ. Jacobowsky!

JACOBOWSKY. Für mich zehnfach, Colonel! Denn vor Ihnen liegt nur die Reise mit mir. Vor mir aber liegt die Reise mit Ihnen!

(*Oberst Stjerbinsky bekreuzt sich und verweilt einige Augen-*

blicke still! — Dann wendet er sich wie ein Redner an die
Greise und Kinder rings, die ihn aus großen Augen anstarren.)

OBERST STJERBINSKY. Pariser! Ihr sollt nicht glauben, vielleicht, daß ich, der polnische Oberst Stjerbinsky, davonlaufe
5 vor den Boches! Ich ziehe mich nur zurück zur Gegenoffen-
sive! (*Er setzt sich wieder ans Steuerrad.*) Fertig! Los! Auf
mein Kommando! Eins, zwei, drei...

(*Jacobowsky, Szabuniewicz, der Chauffeur schieben mächtig*
an. Der Wagen rührt sich nicht.)

10   CHAUFFEUR. Die Bremse, Colonel, die Bremse!

OBERST STJERBINSKY. Ach so, die Bremse... (*Er löst den*
Hebel. Der Wagen rollt langsam vorwärts. Einige von den
Kindern schieben mit.)

MADAME BOUFFIER (*winkt, was sinnlos ist, mit einem Taschen-*
15 *tuch und schluchzt*). Gott schütze Jacobowsky!

ZWEITER AKT

DES ZWEITEN AKTES
ERSTER TEIL

Cottage von Saint Cyrill bei Pontivy

(Straße. Gartenmauer mit kleiner Eingangspforte. Dahinter die Villa von Marianne Deloupe. Das Haus ist so reich von blauen Klematis und Kletterrosen umschlungen, daß nur Fenster und ein kleiner Balkon sichtbar sind. Auf der Straße, etwa bis in ihre Mitte, liegt ein großer Steinhaufen als Tankhin- 5 *dernis. — Sommerliche Abenddämmerung, die später in eine grelle Vollmondnacht übergeht. Man hört aus weiter Ferne ein finsteres Murren und Grollen, aus dem manchmal das atembeklemmende Näher-Röhren und Verdröhnen deutscher Flugzeuge laut wird. — Beim Aufgehn des Vorhangs eilen Männer,* 10 *Frauen, Kinder über die Straße, mit verzweifelten Gesichtern ihre Habseligkeiten schleppend. Ginette stürzt aus dem Haus. Sie ist eine noch hübsche Person von fünfunddreißig, die so manches hinter sich hat. Sie stellt ihr Suitcase hin und läuft, während sie den Hut aufsetzt, ans linke Ende der Straße, laut* 15 *rufend.)*

GINETTE. Madame Firmin ... Madame Firmin ... *(Marianne ist Ginette vor den Garten gefolgt. Sie trägt ländlich-häusliche Kleidung. Obwohl sehr bleich, scheint sie völlig ruhig zu sein, träumerisch-ruhig. Ginette läuft auf die andre Seite der Straße* 20 *und schreit.)* Madame Gramont ... Madame Gramont ... *(Sie kommt zurück zu Marianne.)* Nichts! ... Die Fensterläden

49

sind geschlossen ... Alle Nachbarn fort ... Es geht dort noch
der Autobus nach Pontivy in zehn Minuten. — Es ist der letzte
Autobus vor dem Jüngsten Gericht ...

MARIANNE. Sie müssen sich beeilen, Ginette ...

5   GINETTE. Haben Sie nicht das Radio gehört, Madame?

MARIANNE. Ich höre niemals Radio ...

GINETTE. Dann hören Sie dort wenigstens die deutschen Geschütze!

MARIANNE. Das glaub ich nicht!

10   GINETTE. Was glauben Sie nicht?

MARIANNE. Stünde dort eine deutsche Armee, so müßte hier
eine französische stehn! Es sind französische Geschütze. Sie
werfen den Feind zurück ...

GINETTE. Eine französische Armee gibt es nicht mehr ...

15   MARIANNE. Das ist nicht wahr! Ich kenne General Gergaud
persönlich und General Dufresne. Sie sagen, wir haben die
beste Armee der Welt ...

GINETTE (*auf den Steinhaufen weisend*). Was, glauben Sie,
ist das? Es ist ein Tankhindernis. Ein französisches Hindernis!

20 So ein dicker deutscher Tank hält sich den Bauch vor Lachen,
ehe er darüber hinwegfährt. Da haben Sie Ihre Generäle!

MARIANNE. Ich habe gewartet bis zum letzten Augenblick.
Es wäre unwürdig im letzten Augenblick aufzugeben ... Ich
fürchte mich ja garnicht ...

25   GINETTE. Und wie Sie sich fürchten! ... Madame! Denken
Sie doch an das Telegramm aus Nîmes. Ihre Schwester ruft Sie.
Ihre Schwester braucht Sie.

MARIANNE. Sie gehn doch statt meiner nach Nîmes, Ginette.
Meine Schwester hält viel mehr von Ihrer Hilfe als von

30 meiner ... (*Zieht ein Telegramm hervor, das sie auf der Brust
verwahrt.*) Dieses Telegramm ist wichtiger ...

GINETTE. Leider ...

MARIANNE. Seine Persönlichkeit ist so stark, daß sie selbst die Morsezeichen durchtränkt! (*In Stjerbinskys Tonfall*) „Rühren Sie sich nicht fort von Saint Cyrill, Sie Inhalt meines Lebens! Ich komme ...“ Ich bin so neugierig ... Er kommt. Noch in dieser Nacht.

GINETTE. Der Boche kommt. Noch in dieser Nacht!

MARIANNE. Tadeusz Boleslav Stjerbinsky!

GINETTE. Um diesen Namen aussprechen zu können, muß man sehr verliebt sein.

MARIANNE. Ist dieser Name nicht wie ein violettes Kreuz auf purpurnem Brokat?

GINETTE. Hilf Gott! ... Und Sie waren mit diesem schrecklichen Polen ganze drei Mal beisammen ...

MARIANNE. Viermal!

GINETTE. Nein! Das vierte Mal wars nur ein Telephongespräch!

MARIANNE. Das ist es ja! Drei kurze Abende und er ging an die Front. Drei Träume, nicht zu Ende geträumt! Ich weiß nichts von ihm. Ich weiß nur, wenn ich jetzt nicht warte, werde ich ihn nie mehr wiedersehn. Und das könnt ich mir nicht verzeihn, bis ans Ende meiner Tage ...

GINETTE. Gut also! Er kommt! Und was dann?

MARIANNE. Dann gehen wir nach Paris ...

GINETTE (*zurückweichend*). Madame Marianne! Sie sind eine der vernünftigsten Frauen, die ich kenne. Sie führen sogar ein Haushaltungsbuch ... Das kommt alles daher, daß Sie die zwei letzten Nächte nicht geschlafen haben ... Sie leben unter einem Schleier ...

MARIANNE. Ich lebe unter einem Schleier ...

GINETTE. Muß ich Sie an Ihre Pflichten erinnern? Ich, eine

so gewöhnliche Person! Sie sind im Komitee eines Waisen-
hauses. Sie sind Mitglied des Roten Kreuzes, der Fürsorge für
Kriegsblinde...

MARIANNE. Haben Sie noch so viel Zeit, um alle diese Wür-
5 den aufzuzählen?...

GINETTE. Ich weiß, wie das ist! Mich hats auch zweimal gepackt, gottverdammt! Sie haben eben viel zu jung geheiratet.
Und nur aus der lächerlichen Großmut kleiner Mädchen, die
zu viel lesen. Denn Monsieur Deloupe war fein und gescheit
10 und dreimal zu alt für Sie. Gott hab ihn selig... Aber ist das
jetzt der Augenblick...

MARIANNE. Zwischen zu früh und zu spät liegt immer nur
ein Augenblick... Diesmal werd ich ihn nicht versäumen.

GINETTE. Sie scheinen wirklich nicht zu wissen, was in Frank-
15 reich vorgeht...

MARIANNE. Frankreich wird ewig jung sein und ewig geliebt.
Ich nicht! (*Plötzlich erschrocken*) Hat Coco seine Schokolade
und Mignon ihre Milch bekommen, die armen Tierchen?

GINETTE. Die armen Tierchen rühren nichts an. Sie sind auf-
20 richtiger als Sie. Sie zeigen ihre Angst...

MARIANNE. Und mein Gepäck? Ist es fertig?

GINETTE. Ah! Madame, Sie kommen zur Besinnung! Darf
ich Ihr Reisenecessaire holen und wir laufen zum Autobus
dort...

25 MARIANNE. Aus einem Reisenecessaire leben die nächste Zeit?
Dann lieber die Boches! Was können Sie mir tun? Ich bin
eine Französin.

GINETTE. Diese Ungeheuer halten jede Französin für eine
Kokotte. Ihre Professoren mit den zerhackten Gesichtern be-
30 haupten, daß wir uns alle von alten Juden aushalten lassen, mit

syphilitischen Negern schlafen und keine lebendige Jungen mehr zur Welt bringen...

MARIANNE. Um so besser! Harmlose Kokotten töten nicht einmal die Boches...

GINETTE. Wie?! Nein, das geht nicht! Ich bleibe... 5

MARIANNE. Das wäre mir garnicht angenehm, Ginette... Ich habe einen Auftrag für Sie... (*Übergibt ihr einen Leder-beutel.*) Bringen Sie meinen Schmuck in Sicherheit nach Nîmes. Und umarmen Sie die Schwester...

GINETTE. In Sicherheit?... Also doch ein Funke von Ver- 10 nunft unterm Schleier...

MARIANNE. Mehrere Funken, Ginette!... Warten Sie in Nîmes auf meine erste Nachricht...

GINETTE. Mein Gott! Was soll ich tun?

MARIANNE. Gehn! Es ist höchste Zeit! (*Umarmt sie.*) 15

GINETTE. Ich werde umkommen vor Angst um Sie!

MARIANNE (*in der Gartenpforte*). Da liegt noch ein roter Lampion vom letzten Sommerfest... Ich werde ihn anzünden, damit Tadeusz Boleslav sieht, wo er erwartet ist...

GINETTE (*nimmt ihr den Lampion aus der Hand*). Sind Sie 20 ganz von Gott verlassen?

MARIANNE. Warum nicht?

GINETTE. Die deutschen Flieger... Und wollen Sie es diesem schrecklichen Menschen gar so leicht machen?... Ein rotes Licht?!... Wenn es wenigstens blau wäre!... 25

(*Autobus-Signal in der Ferne.*)

MARIANNE. Der Autobus! Fort, Ginette!...

GINETTE (*hin- und hergerissen*). Wie ist Ihnen zumute, Madame, mein geliebter Engel?

MARIANNE. Ein wenig müde... Aber neugierig, so neugie- 30

rig ... (*Geht mit einem kleinen erstaunten Lachen ins Haus.*)

GINETTE (*zögernd*). Was soll ich tun?... (*Neues Signal. Stürzt ab nach der Seite des Signals.*)

(*Der Tag ist zu Ende. Das Mondlicht wächst. Der Donner*
5 *und das Röhren in der Ferne wird lauter.— Die Szene bleibt lange Zeit leer. Dann wird nach und nach das unwillige Pochen und Taktieren eines erschöpften Automotors vernehmbar. Man kann das fauchende Näherkommen verfolgen und endlich taucht Jacobowskys Limousine auf, kotbespritzt, klap-*
10 *pernd, ruckweise.— Oberst Stjerbinsky, das blaue Reiterauge starr vorwärtsgerichtet, streift den Steinhaufen des Tankhindernisses, wodurch der rechte Kotflügel beschädigt wird. Der Wagen, in seinem Lebensrecht erschüttert, bleibt mit einem harten Sprung stehen, die Türen fliegen auf und Jacobowsky*
15 *kollert heraus.*)

OBERST STJERBINSKY (*befriedigt*). Da sind wir. Irgendwo hier muß es sein ...

JACOBOWSKY (*rappelt sich zusammen, höhnisch*). Da sind wir! Irgendwo hier! Wo sind wir?

20 SZABUNIEWICZ (*beschwichtigend*). Ein kleiner Umweg halt, der Herr, weiter nichts ...

JACOBOWSKY. Ein kleiner Umweg halt von achtundvierzig Stunden. In diesen achtundvierzig Stunden waren wir siebenmal in Gefahr, die Marschkolonnen der Deutschen zu kreuzen.
25 Es war wie ein Wettrennen. Und jetzt haben uns die Boches wieder überrundet ...

OBERST STJERBINSKY. Sie sind ein ganz guter Beobachter, Herr ...

JACOBOWSKY. In diesen achtundvierzig verschwendeten Stun-
30 den haben Sie meinen Wagen zuschanden gefahren, Colonel, einen guten Wagen des Hauses Rothschild. Zwei Zusammen-

stöße! Ein Pneudefekt! Unzählige Reibereien mit den Flüchtlingen auf der Straße! Einmal lagen wir im Graben. Und die
französische Gendarmerie schoß uns nach, weil Sie auf Anruf
nicht hielten...

OBERST STJERBINSKY. Ich habe Ihnen nicht verschwiegen, 5
Jacobowsky, daß ich Herrenreiter bin und kein Chauffeur...

JACOBOWSKY. Was heißt Chauffeur? Sie sind professioneller
Rennfahrer, Colonel! Sie nehmen Kurven mit hundert Kilometer Geschwindigkeit. Sie werfen Meilensteine um. Sie töten 10
Hunde und Hühner zu Dutzenden. Und Sie sausen im Kreis,
so daß man immer in dasselbe Dorf einfährt...

OBERST STJERBINSKY. Siehst du irgendwo ein beleuchtetes
Haus, Szabuniewicz?

JACOBOWSKY. Wir könnten trotz aller verstopften Straßen 15
längst in Bordeaux sein, in Bayonne, in einem guten Port, wo
uns Rettung winkt. Wo aber sind wir? Vor den Mündungen
der deutschen Batterien und unter den deutschen Flugzeugen.
Das heißt Gott herausfordern!

SZABUNIEWICZ. Ich sah kein beleuchtetes Haus, nirgends... 20

JACOBOWSKY. Unersetzliche Essence haben wir verschwendet,
wahrhaftiges Lebensblut heute! Dreimal ist es meiner Energie, meiner Überredungskunst gelungen, Essence aus der Erde
zu stampfen, sonst wären wir liegen geblieben und gefangen
worden... 25

SZABUNIEWICZ. Es muß dem Herrn wieder gelingen! Es liegt
ja dem Herrn im Blut. Wir haben keine zehn Kilometer mehr
im Wagen...

JACOBOWSKY. Bin ich ein Gasolintank oder ein Mensch in Todesgefahr? 30

OBERST STJERBINSKY. Wer zweifelt, daß der Oberst Tadeusz

Boleslav Stjerbinsky ist in größerer Todesgefahr als der Herr
Jacobowsky... Auf meinen Kopf haben die Deutschen einen
Preis gesetzt...

JACOBOWSKY. Das hätten Sie mir sagen sollen, ehe wir in
5 Compagnie gingen...

OBERST STJERBINSKY. Ich schäme mich... Fünftausend Mark
ist kein Preis...

SZABUNIEWICZ. Es sind Dreckfresser, diese Boches...

OBERST STJERBINSKY. Ich habe eine Mission zu erfüllen. Sie
10 nicht!

JACOBOWSKY. Umso unfaßbarer, daß Sie diese Mission wegen
einer Dame aufs Spiel setzen, Sie, ein Oberst, ein Pole, ein
Patriot! Es ist keine Zeit jetzt für Damen.

OBERST STJERBINSKY. Es ist immer Zeit für Damen! Das
15 männliche Leben ist kurz.

JACOBOWSKY. Die Vernunft sträubt sich...

OBERST STJERBINSKY. Die Vernunft sträubt sich stets gegen
das Leben. Was ist die Vernunft? Ein kleiner alter Bürokrat
mit einem grünen Augenschirm...

20 JACOBOWSKY. Die Stunde ist zu ernst für solche Aperçus.

OBERST STJERBINSKY. Ich hab als Edelmann einer Dame ge-
geben mein Wort! Dieses Wort ist ebenso verpflichtend auf
Tod und Leben wie eine politische Mission! Ein Jacobowsky
wird das nie verstehn! Ich habe zwei Missionen zu verbinden
25 und werde beide erfüllen.

JACOBOWSKY. In welchem Jahrhundert leben Sie, Colonel?
Sie haben keine Ahnung von den Nazis und Sie hassen sie
nicht einmal...

OBERST STJERBINSKY. Ich bin Soldat. Ich hab gegen die Nazis
30 an der Weichsel gekämpft, am Pruth, vor Warschau, an der
Somme...

SzABUNIEWICZ (*dicht an Jacobowsky herantretend*). Der
Herr weiß noch immer nicht, wer Oberst Stjerbinsky ist, der
Herr! Der Oberst hat geritten die berühmten Attacken von
Grodno und Goleczyno mit nacktem Säbel gegen Tanks. Der
Oberst ist ausgebrochen aus dem Gefangenenlager in Königs- 5
berg und mitten durch Deutschland nach Frankreich ge-
gangen. Den Oberst werden die polnischen Kinder in Schul-
büchern lernen später ...

OBERST STJERBINSKY (*abwinkend*). Laß das, Szabuniewicz! ... Ich hab mich geschlagen, wie andre auch. Gut! Und 10
was tun Sie gegen Hitler, Herr Jacobowsky, als davonlaufen,
davonlaufen, davonlaufen?

JACOBOWSKY. Hitler? Ich bitte um Verzeihung. Wer ist Hitler? Den gibt es garnicht. Hitler ist nur ein anderer Name für
die Schlechtigkeit der Welt!   15

OBERST STJERBINSKY. Haha! Und wer ausgenommen ist von
dieser Schlechtigkeit, das ist einzig und allein unser Herr
Jacobowsky ...

JACOBOWSKY. Nein, Colonel! Ich bin um nichts besser. Einen
Vorzug aber hab ich voraus vor Ihnen. Ich kann niemals Hitler 20
sein, nicht bis zum Jüngsten Tage. Sie aber hätten ganz gut
Hitler sein können und Sie können es noch immer werden.
Jederzeit!

OBERST STJERBINSKY. Es macht mich seekrank, Szabuniewicz ...   25

JACOBOWSKY. Sehn Sie, der einzige Vorsprung, den der Ver-
folgte auf der Welt hat, besteht darin, daß er nicht der Verfolger
ist ...

OBERST STJERBINSKY. Und das ist kein Aperçu? Das ist sogar
ein Dreh, ein mosaischer ...   30

JACOBOWSKY (*mit steigernder Leidenschaftlichkeit und Ener-*

gie die Rede bauend). Ich will Ihnen gleich beweisen, daß es
kein Dreh ist, sondern die pure einfache Wahrheit. Sie sind Pole
und auch ich bin Pole, wiewohl ihr mich als dreijähriges Kind
aus meiner Heimat vertrieben habt... Und als dann in
5 Deutschland im Jahre dreiunddreißig diese Pest und dieses
Leid über mich kam, da habt ihr Polen euch die Hände gerie-
ben und gesagt: „Recht geschieht dem Jacobowsky!" Und als
später dann in Österreich diese Pest und dieses Leid über mich
kam, da habt ihr die Achseln gezuckt und gesagt: „Was gehts
10 uns an?" Und nicht nur ihr habt gesagt, „Was gehts uns an?",
sondern alle andern habens auch gesagt. Engländer und Amerikaner und Franzosen und Russen! Und als dann in Prag diese
Pest und dieses Leid ausbrach, da habt ihr noch immer geglaubt,
es gehe euch nichts an und habt sogar die Gelegenheit be-
15 nutzt, dem armen Tschechen in den Rücken zu fallen. Als es
aber über euch selbst kam, dieses Leid und diese Pest, da waret
ihr sehr unschuldig erstaunt und garnicht vorbereitet und in
siebzehn Tagen erledigt. Ist das nicht die Wahrheit?

OBERST STJERBINSKY (*völlig unberührt*). Such Nummer 333,
20 Szabuniewicz...

SZABUNIEWICZ (*späht umher*). Man sieht keine Nummern...

JACOBOWSKY (*läßt sich nicht unterbrechen*). Hättet ihr aber,
ihr und alle andern, am Anfang nicht gesagt: „Recht geschieht
dem Jacobowsky!" oder bestenfalls: „Was gehts uns an?", son-
25 dern: „Der Jacobowsky ist ein Mensch und wir können nicht
dulden, daß ein Mensch so behandelt wird", dann wäret ihr alle
ein paar Jahre später nicht so elend, läppisch und schmählich
zugrunde gegangen und binnen sechs Wochen wäre die Pest
ausgerottet worden und Hitler wäre geblieben was er ist, ein
30 Stammtischnarr in einem stinkigen Münchner Bierhaus. Somit
seid ihr selbst, ihr allein und alle andern, die Größe Hitlers,

seine Genialität, sein Blitzkrieg, sein Sieg und seine Weltherrschaft ...

SZABUNIEWICZ (*ungeduldig vor Mariannes Haustür dem
Obersten Zeichen gebend*). Gefunden! Nummer 333! Stjerbinskys Glück! Wir sind gerade vor dem Haus stehn geblie- 5
ben!

OBERST STJERBINSKY. Villa Deloupe?

SZABUNIEWICZ. Villa Deloupe! Alles dunkel! Alles versperrt!
Niemand da!

OBERST STJERBINSKY (*mit ruhiger Festigkeit*). Sie ist da! 10

SZABUNIEWICZ. So sehen Sie doch selbst! Ein ausgestorbenes
Haus! Die Dame konnte nicht länger warten. Eine prächtige
Force majeure ...

OBERST STJERBINSKY. Sie wartet. Sie schläft.

JACOBOWSKY. Sie haben eine Selbstsicherheit, Colonel, um die 15
Sie ein Panther beneiden könnte!

SZABUNIEWICZ. Bitte, bitte, mein Vater und Wohltäter, schnell
einsteigen, nach Pontivy, dort stampft Herr Jacobowsky Essence aus der Erde, und dann auf die Hauptstraße! Wir können morgen in Bordeaux sein. Sie werden das letzte Schiff er- 20
reichen ...

JACOBOWSKY. Wenn Sie schon nicht auf die Stimme der Vernunft hören, so achten Sie wenigstens diese Stimme des unter-
geordneten Menschenverstandes!

OBERST STJERBINSKY. Marianne wartet!   25

SZABUNIEWICZ. Soll ich gehn und klopfen?

OBERST STJERBINSKY. Du sollst nicht gehn und klopfen!

SZABUNIEWICZ. Dann geben Sie selbst ein Signal!

OBERST STJERBINSKY. Mit der Hupe eine Frau wecken?! Abscheulich! Pack die Geige aus, Szabuniewicz! Madame hat es 30
gern ...

(*Szabuniewicz nimmt die Geige aus dem Futteral.*)

JACOBOWSKY (*erstarrt*). Himmel! Die Zeit vergeht! Und was geschieht jetzt? Ein Konzert vielleicht...

OBERST STJERBINSKY (*nimmt die Geige entgegen und be-*
5 *trachtet sie liebevoll*). Sie war mit mir an allen Fronten...

JACOBOWSKY. Wahrscheinlich um die deutsche Infanterie zu erschrecken, im Nervenkrieg...

SZABUNIEWICZ. Wir Polen sind alle Virtuosen. Ich zum Beispiel auf der Mundharmonika.

10 JACOBOWSKY. Mundharmonika! Auch das noch!

SZABUNIEWICZ (*sein Instrument prüfend*). Der Herr ist nicht musikalisch, der Herr?!

JACOBOWSKY. Nicht musikalisch?! Kleinigkeit! Ich war Ehrenschatzmeister von zwei Symphonieorchestern! (*Oberst*
15 *Stjerbinsky beginnt auf der Geige, ohne Vibrato, ein lustiges populäres Tanzstück zu stammeln. Szabuniewicz begleitet ihn auf der Mundharmonika mit quäkenden Tönen. Jacobowsky spricht zu dieser Musik, indem er die Fäuste gegen seine Schläfen drückt.*) Wie wird mir? Ist das Wirklichkeit? Ist das
20 Vision? Die deutschen Geschütze brummen. Frankreich verreckt. Frankreichs Rosen duften, als gehe sie das Ganze nichts an. Der Tod aus Polen fiedelt im Mondlicht. Und des Todes Schammes spielt Mundharmonika.

(*Marianne erscheint auf dem kleinen Balkon des Hauses,*
25 *sich vortastend wie eine Somnambule. Das Mondlicht ist nun ganz scharf. Oberst Stjerbinsky bricht mitten ab in seinem wilden und stümpernden Gefiedel, läßt langsam die Geige sinken und nähert sich, als wolle er damit seine zarte Verehrung andeuten, auf Zehenspitzen durch das Gärtchen der*
30 *Geliebten auf dem Balkon. Das Artilleriefeuer hinter den Horizonten wird drohender, mit deutlichen Abschüssen und*

*Explosionen. — Marianne kann Szabuniewicz und Jacobowsky
nicht sehn.*)

OBERST STJERBINSKY (*mit sehr veränderter, bebender Baßstimme*). Marianne ...

MARIANNE. Ich war ja so allein ...   5

OBERST STJERBINSKY (*mit immer zärtlicherer Vibration*).
Haben Sie den Glauben an mich verloren, Marianne? Ich
komme spät. Aber komme ich zu spät?

MARIANNE (*scheint noch immer verwirrt*). Sie kommen genau um fünfzehn Minuten zu spät, Tadeusz Boleslav ... Ich 10
habe vorhin auf die Uhr gesehn ...

OBERST STJERBINSKY (*mit weicher Nachsicht*). Ich kenne das,
mein süßes Herz. Jedes neue Wiedersehn ist eine schwierige
Aufgabe für Liebende ...

MARIANNE. Die Boches waren vorhin da, Tadeusz Boleslav. 15
Jeder von ihnen halb in Uniform und halb in Tierfellen. Sie
haben mich auf die Küchen-porch geführt und erschossen ...

OBERST STJERBINSKY. Das war nur ein kleiner Angsttraum,
mein süßes Herz, als Sie ruhten. Jetzt sind Sie aber von meiner
Geige erwacht und sehn: Nicht die Boches sind gekommen 20
sondern Er, Tadeusz Boleslav ...

MARIANNE (*plötzlich mit kühler Stimme*). Ich bin schon
früher erwacht, mein Freund. Wissen Sie, wie lang ich auf Sie
warte! Wissen Sie, daß ich Ginette fortgeschickt habe. Wissen
Sie, daß alle Nachbarn geflohn sind und ich mutterseelenallein 25
war mit meiner Angst. Und jetzt erklären Sie mir, wie kann
eine Frau so idiotisch sein ...

OBERST STJERBINSKY (*mit heller Stimme, als wolle er ein
Wunder in einer Kamera festhalten*). Bitte gehorsamst, sich
nicht zu rühren, Marianne! Bleiben Sie so! Es ist der herrlichste 30
Anblick meines Lebens. Ich komme durch die versperrte

Tür ... (*Er stemmt sich fest gegen die Haustür, die jedoch leicht aufgeht, wodurch er ein wenig stolpernd ins Haus tritt.*)

MARIANNE (*lächelt bewegungslos*). Meine Tür war nicht versperrt, Tadeusz Boleslav ...

5 JACOBOWSKY (*der alles das mit wachsendem Erstaunen beobachtet, monologisiert*). Ich war immer ein Theaternarr. Ich liebe diese Balkonszenen: Don Giovanni, Romeo und Julia, Cyrano de Bergerac. Freilich, die große Schlachtszene dahinten ist zu nahe der Balkonszene hier! Ein Regiefehler ...

10 OBERST STJERBINSKY (*erscheint auf dem Balkon*). Marianne ... (*Er will sie an sich reißen.*)

MARIANNE (*beugt sich zurück*). Nicht so, mein Freund! Zeigen Sie mir zuerst Ihre Augen. Ihre Augen sind dieselben. Erbarmungslos und vergeßlich wie das Meer. Sie waren mir 15 untreu! ... Ah, Sie haben einen Verband ums Gelenk. Sie sind verwundet. Sie haben für Frankreich gekämpft! Ich liebe Sie. Ich hätte gewartet auf Sie bis zum Tod ...

OBERST STJERBINSKY. Marianne! Ich gehöre Ihretwegen vors Kriegsgericht. Meine Pflicht wäre es gewesen, auf dem kürze-20 sten Wege Bordeaux zu erreichen ...

MARIANNE. Vors Kriegsgericht? Ist das wahr? Und für mich haben Sie Ihre Pflicht vergessen, die Politik, und sogar Polen?

OBERST STJERBINSKY. Sogar Polen!

MARIANNE. Wie elend sehen Sie aus, mein unbekannter Ge-25 liebter! Sie brauchen Cognac! Ein Wasserglas! Ich weiß nichts von Ihnen, nichts, das aber hab ich mir gemerkt ... (*Zieht ihn ins Haus.*)

JACOBOWSKY (*sitzt neben Szabuniewicz auf dem Tankhindernis*). Die Zeit vergeht ... Die Zeit vergeht ... Schon kommt 30 der erste Feldgraue des Wegs ...

SZABUNIEWICZ. Man muß daran denken, der Herr, wie der

Oberst beim Handicaprennen der Siebzehner Ulanen vor dem großen Hindernis vom Pferd flog. Drei Purzelbäume in der Luft, so, so, so. Er war schon eher mausetot, da sagte er beim Aufwachen zu mir: „Weine nicht, Szabuniewicz! Deinem Stjerbinsky passiert nichts. Denn er ist ein Herr des Le- 5 bens..."

JACOBOWSKY (*skeptisch*). Was ist das, ein Herr des Lebens?

SZABUNIEWICZ. Einer, der weiter lebt, wenn er sich den Hals gebrochen hat...

JACOBOWSKY. Das ist ein Glückspilz aber kein Herr des Le- 10 bens...

SZABUNIEWICZ (*die niedrige Stirn in Falten legend*). Also, ein Herr des Lebens ist einer, der selbst dann zurecht kommt, wenn er zu spät kommt...

JACOBOWSKY. Ein gutes Prinzip für ein Spielkasino, nicht 15 aber für den militärischen Geheimdienst!

SZABUNIEWICZ. Pflegen der Herr sich nicht zu verlieben?

JACOBOWSKY. Nicht verlieben? Dreimal täglich!

SZABUNIEWICZ. Und wo wartet die letzte gnädige Dame?

JACOBOWSKY. Ja, wo mag sie warten...   20

OBERST STJERBINSKY (*Hand in Hand mit Marianne aus dem Haus tretend*). Szabuniewicz!

SZABUNIEWICZ. Hier!

MARIANNE (*erschreckend*). Was? Wir sind nicht allein?

OBERST STJERBINSKY. Das ist Szabuniewicz! Er lebt schon 25 dreihundert Jahre in meiner Familie...

MARIANNE. Wie?

OBERST STJERBINSKY. Sein Großvater, Urgroßvater, Ururgroßvater hat gehört zu den „Seelen", die wir Stjerbinskys besaßen in alter russischer Zeit. Jetzt aber sind wir ärmer als 30 Bettler und können nicht mehr sorgen für unsre Szabunie-

wicze. So ist er Masseur geworden und Irrenwärter in Frankreich, anstatt mein Schloßkastellan zu sein mit Goldkette und
Reiherfeder in Polen ...

MARIANNE (*kann ihre Enttäuschung kaum beherrschen*).
5 Und ich dachte, wir werden allein ...

OBERST STJERBINSKY (*der fühlt, daß Marianne den Tränen
nahe ist*). Marianne! Ich schenke Ihnen Szabuniewicz. Er wird
sterben, wenn Sie befehlen. Er wird leben, wenn Sie erlauben.

MARIANNE (*weiß nicht, ob sie weinen soll oder lachen*). Oh
10 danke! Ich glaube, dieses Geschenk ist zu groß ... Und der
andre Herr ... Gehört er auch zu den Stjerbinskys?

JACOBOWSKY. Im Gegenteil, Madame. Ich habe mich von den
Stjerbinskys immer zu distanzieren verstanden, und länger als
lumpige dreihundert Jahre! Der Oberst ist mein Gast.

15 OBERST STJERBINSKY. Das ist nur Jacobowsky, Marianne. Ein
ziemlich gefälliger Mensch. Er besorgt alles, Autos, Hotelzimmer, Marrons glacés, und Essence, Essence vor allem ...

MARIANNE (*zeigt irritiert auf das Auto*). Und das hier?

JACOBOWSKY (*immer mehr geblendet von Mariannens An-
20 blick*). Ich bin der glückliche Eigentümer! Dieses Automobil
ist die Gutartigkeit in Person, denn es fährt selbst dann, wenn
der Oberst am Steuer sitzt ...

MARIANNE. Nicht wahr, Tadeusz Boleslav, jetzt gehn wir
schnell nach Paris ...

25 OBERST STJERBINSKY. Aber Marianne! Paris ist in den Händen der Boches ...

MARIANNE (*erstarrend*). Und ich hab mich gewehrt, es für
möglich zu halten ...

SZABUNIEWICZ. Seit gestern ...

30 MARIANNE. Alles was ich habe, ist in Paris. Meine Wohnung,
meine Bücher, meine Pelze ...

OBERST STJERBINSKY. Machen Sie einen Strich drunter. Vergessen Sie's!

JACOBOWSKY. Der Oberst ist ein Pessimist für andre. Sie sind Französin. Sie werden alles wiederfinden, Madame!

MARIANNE. Danke, Monsieur! ... Ich habe schon verges- 5 sen ... Lassen Sie uns in ein kleines, stilles Nest gehn, Tadeusz Boleslav ...

OBERST STJERBINSKY. Ein kleines stilles Nest gibts nicht mehr in Frankreich. Wo waren Sie denn in den letzten Tagen, Marianne? 10

MARIANNE. Ich habe gewartet und geträumt ...

JACOBOWSKY (*mit Bewunderung*). Warten und träumen im Weltuntergang ... Das ist groß ...

OBERST STJERBINSKY (*sie umfassend*). Wir gehen nach Bordeaux, Marianne, und finden ein Schiff nach London ... 15

MARIANNE. Halten Sie mich fest! Mir wird schwindlig. Ich habe noch nie Frankreich verlassen. Ich bin ...

OBERST STJERBINSKY. Sie sind mit mir ...

JACOBOWSKY. Am besten, man denkt nur an die nächsten Stunden! 20

OBERST STJERBINSKY. Darum müssen Sie Essence herschaffen, Jacobowsky, und schnell!

JACOBOWSKY. Muß ich? Vielleicht würde ich garnicht wollen, obwohl ich doch wirklich muß ... Jetzt aber, da ich die Ehre habe, Madame in meinem Wagen zu beherbergen, werde ich 25 Essence vom Himmel herunterleiten! Ich schwörs!

(*Lautes Näherdröhnen eines Flugzeugs.*)

MARIANNE (*leise aufschreiend*). Vom Himmel, mein Gott, vom Himmel ... (*Zu Stjerbinsky*) Sehn Sie nicht, daß ich an allen Gliedern zittre ... Bringen Sie mich fort von hier! 30

JACOBOWSKY (*stark, fast fröhlich*). Steigen Sie ein, Madame!

Uns begleitet zwar der Tod. Ich aber bin Optimist, und jetzt
mehr als je!

(*Marianne streicht sich über die Stirn. Dann ist sie verwandelt und voll Energie.*)

5   MARIANNE. Nein, nein, so geht das nicht! Wir müssen zuerst
das Gepäck holen und Coco und Mignon, die Ärmsten, und
das Gas abstellen und die Wasserleitung und alle Schränke
zuschließen und das Haus versperren! Und ich muß mich
umkleiden!... Schnell! Helfen Sie! (*Rasch ab ins Haus.*)

10   OBERST STJERBINSKY. Szabuniewicz, helfen!

JACOBOWSKY. Sollte ich nicht auch...?

OBERST STJERBINSKY. Sie nicht! Sie bleiben draußen und verschaffen Essence. (*Er und Szabuniewicz eilen ins Haus.*)

JACOBOWSKY (*allein*). Verschaffen Essence... Vielleicht vom
15 ersten Nazi, der daher kommt. (*Er lehnt sich an die Gartenmauer, entfaltet aufseufzend die Automobilkarte und beginnt
sie im Schein einer Taschenlampe zu entziffern.*) Pontivy, das
sind noch mindestens fünf Kilometer Westsüdwest...

(*Der Brigadier der Gendarmerie, in feldgrauer Uniform,
20 mit roter Kappe, Karabiner, Diensttasche, kommt auf seinem
Fahrrad, von Jacobowsky unbemerkt. Als er diesen gewahrt,
hält er, steigt ab, und tritt ganz nahe auf ihn zu, ohne ein Geräusch zu machen.*)

BRIGADIER. Hein, Sie da!!

25 (*Jacobowsky wird totenbleich, läßt die Karte sinken. Er muß
sich mit den Händen an der Mauer festhalten. Ziemlich lange
Pause.*)

JACOBOWSKY. Gott der Gerechte!

BRIGADIER. Bon soir! Was haben Sie, Monsieur?

30   JACOBOWSKY. Ich sende ein Dankgebet zu Gott, weil ich so-

eben langsam erkenne, daß Sie kein deutscher Feldgendarm sind sondern nur ein französischer ...

BRIGADIER. Stornieren Sie Ihr Dankgebet, Monsieur! Begegnungen mit der Gendarmerie sind auch in Frankreich keine Lustbarkeit ... Ausweis, bitte!   5

JACOBOWSKY (*überreicht seine Carte d'Identité, ein grünes Register, das so vielfach angestückelt und zusammengefaltet ist, daß es bis zur Erde herabhängt*). Carte d'Identité!! Sie beweist Ihnen, daß man trotz aller Anstrengung dagegen stets mit sich selbst identisch bleibt, was garnicht ungefährlich ist heute. 10

BRIGADIER. Carte d'Identité!! Sie beweist mir, daß Sie beständig Ihren Aufenthaltsort wechseln ...

JACOBOWSKY. Carte d'Identité!! Sie beweist Ihnen, daß ich ein nervöser Mensch bin, der sich unsagbar nach Ruhe sehnt und sie nicht finden kann.   15

BRIGADIER. Ausländer natürlich!

JACOBOWSKY. Gar so natürlich ist es nicht, keines Landes Inländer und aller Länder Ausländer zu sein ... Paß gefällig?

BRIGADIER. Danke! Ich repräsentiere die innere Verwaltung Frankreichs, nicht die äußere. Ihr Sauf Conduit, bitte?   20

JACOBOWSKY (*stellt sich unwissend*). Was ist das, gütiger Gott?

BRIGADIER. Als Ausländer haben Sie ohne Bescheinigung der Behörde nicht das Recht, frei zu fluktieren ...

JACOBOWSKY. Ich fluktiere nicht frei, sondern gezwungener- 25 maßen. Im übrigen fluktiert ganz Frankreich ...

BRIGADIER (*das bürokratische Lied mit atemberaubend eintöniger Geschwindigkeit herunterleiernd, verleiht den sprachlichen Mißbildungen des Amtsstils Nachdruck*). Ihr Grundaufenthaltsort ist Paris. Sie haben bei dem Commissariat de 30

Police Ihres Arrondissements eine Eingabe auf Papier timbré abzuliefern, in der Sie um die Vergünstigung ansuchen, das Département vertauschen zu dürfen. Das Commissariat de Police leitet Ihr Gesuch an die Préfecture weiter, welche es nach
5 reiflicher Prüfung und Nachforschung an das Bureau Central Militaire de Circulation zur Amtshandlung herabgelangen läßt. Das Bureau Central Militaire de Circulation entscheidet dann nach Maßgabe der herrschenden Transport- und Verkehrsverhältnisse, ob Sie sich hierher begeben dürfen, wohin
10 Sie sich begeben haben ...

JACOBOWSKY. Sagen Sie, Herr Sergeant, ist es Ihnen im Drange der Geschäfte etwa entgangen, daß sich Paris in den Händen der Deutschen befindet ... ?

BRIGADIER. Das ist nichts als eine nackte Tatsache! Sie hebt
15 die gesetzlichen Regulationen nicht auf. Sie haben sich demnach schleunigst nach Paris zu begeben, Monsieur, um den amtlich vorgeschriebenen Weg zu beschreiten. Andernfalls befinden Sie sich hier widerrechtlich, illegal, schwarz, auf dieser Landstraße. Sie stehen hier nur de facto vor mir, und nicht de
20 jure. Sehr schlimm!

JACOBOWSKY. Was werden wir da machen?

BRIGADIER. Solange ich im Dienst bin, werde ich darauf dringen müssen, daß Ihre ausländische Person aus dem illegalen in den legalen Zustand überführt wird, und zwar
25 zwangsweise ...

JACOBOWSKY. Heißt das Verhaftung und Abschiebung nach Paris?

BRIGADIER. Gemäß der Instruktion über fluktuierende Ausländer ...

30 JACOBOWSKY. Wissen Sie, was die Boches mit mir anfangen werden, wenn sie mich erwischen?

BRIGADIER. Sie werden Sie nicht fressen.

JACOBOWSKY. Sie werden mich fressen, Herr, speziell mich! Ich bin ihre Leibspeise. (*Ruhiger*) Alle Achtung vor Ihrem Pflichteifer! Aber zwischen uns hier und den Deutschen dort liegt vielleicht nur mehr ein Hügelzug und ein Flußlauf... 5

BRIGADIER. Nehme ich dienstlich nicht zur Kenntnis...

JACOBOWSKY. Und außerdienstlich?

BRIGADIER. Außerdienstlich bin ich nichts als Franzose.

JACOBOWSKY. Und was tut ein Franzose heute?

BRIGADIER. Am besten, schlafen! 10

JACOBOWSKY. Der Schlaf ist einer der glänzendsten Einfälle unseres Schöpfers!... Wie wäre es, wenn Sie gleich...

BRIGADIER. Sie vergessen, Monsieur, ich bin im Dienst!

JACOBOWSKY. Wäre es nicht zweckmäßiger, Sie würden mir einen guten Rat erteilen, anstatt mich zu verhaften? Ich fühle 15 den unüberwindlichen Wunsch in mir, den Boden Frankreichs zu verlassen. Wie fange ich das an?

BRIGADIER (*wieder monoton über Stock und Stein*). Nichts einfacher, lieber Herr! Zum Verlassen Frankreichs benötigen Sie ein Visa de Sortie. Zu diesem Zwecke müssen Sie bei der 20 nächsten Sous-Préfecture, in Pontivy, um ein solches Visa de Sortie nachsuchen, nach Ausfüllung von drei Fragebogen mit je einer Photographie, Profil, rechtes Ohr sichtbar, nebst Einzahlung von siebenundzwanzig Francs fünfundsiebzig Centimes. Die Sous-Préfecture setzt sich mit der Préfecture Ihres 25 Grundaufenthaltsortes, Paris, in Verbindung und errichtet durch eingehende Korrespondenz ein Dossier über Ihren Fall, das nach einigen Wochen dem Ministerium des Inneren zur weiteren Behandlung vorgelegt wird. Das Ministerium des Innern beauftragt eine eigene Kommission damit, zu unter- 30 suchen, ob Sie würdig waren, Frankreich zu betreten und ob

Sie würdig sind, es zu verlassen. Das braucht seine Zeit, wickelt
sich aber ab wie geölt. Ihr Problem jedoch hat einen Knoten.
Sie müssen vorher nach Paris zurückkehren und Ihr Sauf
Conduit abwarten, das Ihnen erlaubt, hierher zu reisen. Denn
5 Sie können ja nicht vor einer Sous-Préfecture erscheinen ohne
„en règle" zu sein. Wer nicht „en règle" ist, wäre besser nicht
geboren! Klar?

JACOBOWSKY. Sonnenklar!

BRIGADIER. Sie fassen sehr leicht auf, Monsieur ...

10 JACOBOWSKY. Ich war leider ein früh gewecktes Kind ... Und
wie sind meine Aussichten, wenn ich alle Forderungen erfülle?

BRIGADIER. Ihre Aussichten sind gleich Null! Denn welches
Wohlwollen dürfen Sie von einem Staat erwarten, dem Sie so
viel Schreibereien verursachen? ... Am besten, Sie kommen
15 gleich mit!

JACOBOWSKY. Einfach so wie ich bin?

BRIGADIER. Einfach so wie Sie sind. Wir legen auf äußeren
Glanz keinen Wert ... Ein politischer Gefangener hat übrigens das Recht, so viel Gepäck mit sich zu führen als er mit
20 seinen zarten Händchen tragen kann ...

JACOBOWSKY (*der trotz seiner Blässe Haltung bewahrt, holt
aus dem Wagen sein Suitcase, wobei er murmelt*). Wie gut,
daß ich die Teppiche schon früher eingebüßt habe ... (*Dann
zum Brigadier*) Sollte ich nicht meine Gesellschaft da drinnen
25 von der Änderung der Lage benachrichtigen?

BRIGADIER. Wozu wollen Sie Ihrer Gesellschaft das Herz
brechen?

JACOBOWSKY. Das ist wahr! Wozu soll ich dem Oberst das
Herz brechen?

30 BRIGADIER. Gehn wir, Monsieur! Ich werde langsam neben
Ihnen einherfahren, damit Sie nicht außer Atem kommen ...

JACOBOWSKY. Dank für Ihr medizinisches Verständnis, Brigadier! Ich komme leicht außer Atem. Mein Herz ist etwas
verbraucht... (*Beide beginnen zu gehn, Jacobowsky mit
schwankendem Schritt. Plötzlich bleibt er stehn.*) Ich möchte
nur noch einen Zettel schreiben, um Madame meine Limousine 5
zu schenken... Ein kleines Cadeau...

BRIGADIER. Man verschenkt nicht seine Verluste! Und außer-
dem müssen Besitzübertragungen notariell beglaubigt werden.
Die Notare aber halten gesperrt zu dieser Stunde. (*Von Saint
Cyrills fernem Dorfkirchturm schlägt es langsam Neun.*) 10
Haben Sie die Glockenschläge gezählt, Monsieur?

JACOBOWSKY. Wozu? Meine Zeit ist vorüber!

BRIGADIER (*erforscht seine Armbanduhr intensiv*). Neun!
Wie?

JACOBOWSKY (*läßt mechanisch seine dicke, altmodische Uhr* 15
aufspringen). Auf jeden Fall zu spät!... Auf der Uhr meines
Vaters...

BRIGADIER. Neun!! Merde alors. Ich bin außer Dienst! Also
dieser Krüppel ist Ihr Wagen?

JACOBOWSKY. Sehe ich ihm nicht schon ähnlich?   20

BRIGADIER. Und Sie wollen nach Bordeaux. Bayonne, Biar-
ritz, Hendaye? Die Boches rücken an der Küste vor. Vermeiden Sie daher die Küstenstraße... Sie kommen nicht weiter!

JACOBOWSKY. Langsam, Brigadier! Nehmen Sie auf meinen
Blutdruck Rücksicht.   25

BRIGADIER. Und Sie haben keine Essence? Natürlich haben
Sie keine Essence! Nehmen Sie dieses gestempelte Papier da!
Der diensthabende Kollege unten in Saint Cyrill wird Ihnen
auf diesen Zettel hin dreißig Liter Essence ausfolgen, zum nor-
malen Preis...   30

JACOBOWSKY. Einen Augenblick... Ich muß mich erholen

zuerst ... Das kommt wirklich vom Himmel ... Vom Himmel ... (*Er greift verlegen nach seiner Brieftasche.*) Wie kann
ich ...?

BRIGADIER. Sie können nicht! Ich bin „nur" ein französischer
5 Gendarm ...

JACOBOWSKY. Noch eins! Warum waren Sie gut zu mir?

BRIGADIER. Weil Sie meine Bosheit nicht gereizt haben! Ihr
Verdienst!

JACOBOWSKY. Wie soll ich danken ...?

10 BRIGADIER. Sie sollen! Grüßen Sie England und Amerika vom
Brigadier Jouvet ... (*Besteigt schnell sein Rad und verschwindet pfeifend.*)

(*Jacobowsky sieht ihm versonnen nach, schüttelt lange den
Kopf und stellt schließlich sein Suitcase auf die Erde. Er ver-*
15 *bleibt regungslos. Marianne, Oberst Stjerbinsky, Szabuniewicz*
kommen aus dem Haus. Szabuniewicz bricht beinahe unter
der Last des Gepäcks zusammen, das er auf dem Rücken, un-
term Arm und in den Händen herausschleppt. Oberst Stjer-
binsky balanciert zwei federleichte Hutschachteln mit sicht-
20 *lichen Widerständen, denn es schickt sich ja nicht für einen*
Offizier Lasten zu tragen. Marianne hält im rechten Arm das
träge Pekineserhündchen Coco und in der linken Hand den
mit rosa Schleifen geschmückten Korb des Kätzchens Mignon.)

MARIANNE. Wie langsam Sie sind, Messieurs! Wir haben so
25 viel Zeit verloren im Haus und bestimmt die Hälfte vergessen.
Wären wir nur schon dreißig Kilometer weiter! Aber wie?!
Armer Coco! Arme Mimi! Warum habe ich euch das an-
getan? — Nun werdet ihr mit drei wildfremden Männern leben müssen! ... Ah, wie nah sind die Boches schon! Es ist die
30 Hölle hier. Schnell, schnell ... (*Szabuniewicz schnallt den*
Schrankkoffer hinten an und verstaut keuchend und schwit-

zend das Gepäck im Fond des Autos. Es bleibt nur ein einziger
Sitzplatz frei.) Sperren Sie das Tor ab, Tadeusz Boleslav!
(*Oberst Stjerbinsky gehorcht.*) Und jetzt legen Sie die beiden
Hutschachteln zu oberst. (*Oberst Stjerbinsky gehorcht.*) Nein,
nicht so! Da kollern sie ja sofort aus dem Wagen... (*Oberst* 5
Stjerbinsky gehorcht.) Sie müssen noch einmal ins Haus,
chéri! Holen Sie vom Kamin den dreiteiligen Spiegel und
Papas Photographie, und mein Tennis-Racket aus dem Vor-
zimmer...

(*Oberst Stjerbinsky wirft wütende Blicke auf den regungs-* 10
losen Jacobowsky, während er Mariannes Wünsche ausführt.
Er spricht teils vor dem Haus, teils, schreiend, im Haus.)

OBERST STJERBINSKY. Das ist das ganze Problem! Selbst
Oberst Tadeusz Boleslav Stjerbinsky aus dem Geschlecht
Pupicky-Stjerbinsky arbeitet mit seiner Hand. Nur die Jaco- 15
bowskys arbeiten nicht mit ihrer Hand. Sie sind sich zu gut
dazu...

JACOBOWSKY (*ihm nachrufend*). Sehr richtig, Oberst. Die
Jacobowskys haben besseres zu tun.

MARIANNE. Lassen Sie das Tennis-Racket! Ich brauche keins 20
in London!

OBERST STJERBINSKY (*teils im Haus, teils vor dem Haus*).
Was haben die Jacobowskys zu tun außer Coupons von Aktien
zu schneiden, lange Telephongespräche zu führen mit Lissabon, New York, Buenos Aires, Filme zu finanzieren mit hüb- 25
schen Stars und den ganzen Tag in den Zeitungen nachzu-
schaun, ob sie drinstehn. Was tun die Jacobowskys sonst?

JACOBOWSKY. Wunder!

OBERST STJERBINSKY (*ihn anstarrend*). Wunder...

JACOBOWSKY. Wunder! Das sollten Sie aus der Bibel wissen. 30

MARIANNE (*ihren Ohren nicht trauend*). Wunder?

JACOBOWSKY. Ich will mich nicht überheben, Madame. Nicht Jacobowsky tut Wunder, aber Gott tut Wunder an Jacobowsky noch immer.

OBERST STJERBINSKY. Einen Cognac, Szabuniewicz! Mir wird
5 übel ... Was für Wunder?

JACOBOWSKY (*den Oberst nicht ansehend*). Das geht Sie garnichts an, Oberst. Es ist eine Sache zwischen mir und Madame allein ... (*Er deutet mit dem Zeigefinger zu den Sternen.*) Sehen Sie dort oben den leuchtenden Punkt, Madame?
10 Das ist der Engel, der mich vor einer Weile ausgesucht hat, um mir Essence vom Himmel herunter zu bringen, damit ich Ihnen mein Versprechen halten kann. (*Er zaubert den Zettel des Brigadiers aus der Luft.*) Dieser Zettel bedeutet Essence, Lebensblut, und zwar genug, um uns in Sicherheit zu bringen,
15 und der französische Staat liefert mir die Essence selbst ...

MARIANNE (*den Zettel lesend*). „Sûreté Nationale, Der Posten von Saint Cyrill. Anweisung für dreißig Liter Essence"... Sie müssen aber schnell gefahren sein, Monsieur!

OBERST STJERBINSKY. Er kann nicht fahren.

20 MARIANNE. Sie sehen so liebenswürdig aus, Monsieur, und garnicht ein bißchen unheimlich ... Welch ein Glück, daß wir Sie bei uns haben, Tadeusz und ich!

OBERST STJERBINSKY. Wie, zum Teufel, haben Sie das geschoben, Jacobowsky?

25 JACOBOWSKY (*ohne den Blick von Marianne abzuwenden*). Nicht Ihre Sache, teurer Oberst ... Sie haben einfach an Wunder zu glauben!

(*Näherheulend ist das Flugzeug zurückgekehrt und donnert jetzt niedrig über die Landschaft hin. Alle bücken sich tief.*
30 *Sogar Oberst Stjerbinsky neigt ein bißchen seinen ausgemergelten Kopf. Ein Strich Maschinengewehrfeuer. Die Fenster-*

scheiben klirren, das Hündchen kläfft, das Kätzchen miaut vor Schreck.)

MARIANNE (*Coco an ihre Brust pressend*). Oh, mon petit Coco ...

OBERST STJERBINSKY (*mit einem fachmännischen Blick zum Himmel*). Der Mann am Maschinengewehr dort oben ist ein Stümper ... Die ganze Salve sitzt im Dach ...

SZABUNIEWICZ (*die Limousine untersuchend*). Zwei kleine Löcheln hinten ... Macht nichts.

MARIANNE (*mit großer Tapferkeit sich selbst beherrschend*). War das ein Maschinengewehr, Tadeusz ... Es ist also nur ein Zufall, daß wir noch leben ...

OBERST STJERBINSKY (*legt den Arm um Marianne*). Das ist immer nur ein Zufall, mein Herz, mehr oder weniger ...

JACOBOWSKY (*sich den kalten Schweiß wischend, doch mit fröhlicher Stimme*). Keine Angst, Madame! Sie und Ihre reizenden Schützlinge werden bald in Sicherheit sein!

OBERST STJERBINSKY (*macht eine scharfe Wendung*). Herr Jacobowsky predigt Furchtlosigkeit ... Hört mein Ohr richtig?

JACOBOWSKY. Frauenschönheit macht leicht auch einen Zivilisten zum Helden.

OBERST STJERBINSKY. Aber Sie schwitzen doch.

MARIANNE (*die sich mittlerweile in den Fond des Wagens gesetzt hat*). Worauf warten wir? Vielleicht auf den nächsten Flieger ...

JACOBOWSKY. Ich bemerke mit Vergnügen, daß für mich nur mehr ein Plätzchen auf dem Boden bleibt.

MARIANNE. Oh, Monsieur ... Was machen wir da? Soll ich ...

JACOBOWSKY (*unterbricht erschrocken*). Keineswegs, Madame! Sie dürfen nichts entbehren. (*Er hockt sich auf den*

Boden des Autos.) Ich bin mit meinem Plätzchen äußerst zufrieden.

MARIANNE. Es ist schrecklich unbequem ...

JACOBOWSKY. Dafür aber zu Ihren Füßen ...

5 OBERST STJERBINSKY (*sitzt schon am Volant, Szabuniewicz neben ihm*). Ich weiß nicht, dieser Jacobowsky gefällt mir nicht mehr. (*Er löst die Bremse. Dann heftig zu Szabuniewicz*) Tausch du mit Jacobowsky den Sitz!

JACOBOWSKY (*Szabuniewicz, der aufstehn will, zurück-*
10 *haltend*). Wo denken Sie hin, Colonel? Nur keine Sorge um mich! Mir gehts herrlich. Fassen Sie lieber die Kurve dort ins Auge! Ich werde die Zähne zusammenbeißen ... (*Er schlägt die Wagentür zu.*)

(*Oberst Stjerbinsky tritt wütend auf den Gashebel, worauf*
15 *der Motor wild aufheult, aus dem Auspuff kommt eine schwarze Wolke — der Wagen rührt sich nicht.*)

MARIANNE. Heilige Jungfrau, Tadeusz, wir ersticken ja!

SZABUNIEWICZ. Den Gang einschalten, mein Wohltäter!

JACOBOWSKY. Hauptsache die Kurve, Colonel. (*Mit heller*
20 *Stimme*) Ich möchte jetzt weniger sterben denn je ... Vive la vie!!

(*Das Auto setzt sich ruckweise in Bewegung und verschwindet in der Nacht.*)

DES ZWEITEN AKTES
ZWEITER TEIL

Waldlichtung, nahe der Stadt Bayonne

(*Die Landstraße läuft, etwas erhöht, im Hintergrund. Man
sieht Jacobowskys Limousine, noch viel ramponierter als in
der vorigen Szene. — Rechts vorne deuten Farnkräuter und
Gebüsch auf einen Bach hin. Auf der Böschung sitzen Oberst
Stjerbinsky und Marianne, sie auf einem ihrer Gepäckstücke* 5
*und er auf seinem Offiziersrucksack. Marianne hält Coco im
Arm. Manchmal setzt sie ihn auf die Hutschachtel neben sich,
die sie aus dem Wagen gebracht hat. Der geliebte Coco soll
nicht mit der nackten Erde in Berührung kommen. — Trüber
Sommertag.*) 10

OBERST STJERBINSKY (*murmelt*). Ich bin sehr schwermütig...

MARIANNE (*die Pflege ihrer Fingernägel beendend, schaut ins
Weite*). Ich bekomme diese Straßen nicht aus dem Kopf, diese
Ameisenzüge von Autos, die nicht weiterkommen, diese Ge-
sichter... 15

OBERST STJERBINSKY (*laut, wie ein ungezogener Knabe, der
Beachtung fordert*). Ich bin sehr schwermütig!

MARIANNE (*auf ihre Finger blasend, damit der Lack trockne*).
Ich bin... Ich weiß nicht, was ich bin... (*Stjerbinsky jäh anblickend*) Sie sind schwermütig, Tadeusz Boleslav, das ist neu! 20

OBERST STJERBINSKY. Ich hab alles verloren...

MARIANNE. Sie haben in Bordeaux eine Gelegenheit verloren ... Hab ich nicht mehr verloren?

OBERST STJERBINSKY. Das ist es nicht!

MARIANNE. Und außerdem hab ich meine süße kleine Mi-
5 gnon verloren und mein halbes Gepäck ... Was ist es also?

OBERST STJERBINSKY. Ich bin vor Ihnen, Marianne, ein drecki-
ger Flüchtling unter Millionen Flüchtlingen. Ich helfe mit zu
verstopfen die Städte und Dörfer dieses verfluchten französischen Winkels, wo zusammengurgelt der ganze Abschaum
10 Europas. Bei Ausgeplünderten und Verhungerten bettle ich
um Nahrung, Wohnung, Essence. Ich beginne meinen Wert
zu verlieren ...

MARIANNE. Sie übertreiben, mein Freund! Nicht Sie verschaffen Nahrung, Wohnung, Essence, sondern ...

15 OBERST STJERBINSKY. Sondern Herr Jacobowsky, ich weiß.
Mein Kamerad, Herr Jacobowsky, ist in seinem Element. Ich
aber muß verstecken meine Uniform und die scharfen Züge
meines Gesichts, und muß mich bemühn, zur Masse zu gehören, zur grauen Masse ... Ich bin sehr schwermütig ...

20 MARIANNE. Haben Sie kein besseres Kompliment für mich?

OBERST STJERBINSKY. Und auch Sie, Marianne, auch Sie wissen gar nicht, wie anders Sie geworden sind zu mir. Nein, das
ist nicht mehr Tadeusz Boleslav, der Kavallerist mit dem man
durchflog im Rausche drei Pariser Nächte. Das ist nur ein ge-
25 wisser Herr Stjerbinsky, ein sehr ungepflegter Herr ... (Ausbruch) Oh, was für ein Leben führ ich!

MARIANNE (seine Hand ergreifend, leise). Und ich? ... Seit
wieviel Tagen rütteln Sie mich zusammen in dem schrecklichen Wagen dort? Seit wieviel Tagen stecke ich in demselben
30 Kleid, habe keinen Koffer geöffnet, mein Haar nicht ondu-
liert? Ich sehe aus zum Erbarmen. Mein Boudoir sind die Stra-

ßengräben Frankreichs. Es ist die reinste Plein-Air-Malerei, zu der mein armes Gesicht verurteilt ist. Und drei Männer kiebitzen!

OBERST STJERBINSKY. Hab ich geduldet, daß Sie eine einzige Nacht verbringen ohne Zimmer?

MARIANNE (*lächelnd*). Sie haben nicht geduldet! Gewiß! Aber diese traurige Bataille de France um ein Bett und ein Brioche gewinnt Monsieur Jacobowsky.

OBERST STJERBINSKY. Die Qualität von Agenten und Trödlern! Frauen überschätzen das.

MARIANNE. Warum sind Sie so ungerecht? Er tut das alles ja für uns. Ihm hat niemand geholfen im Leben. Man spürt es ihm an...

OBERST STJERBINSKY. Ich verzichte auf Psychologie. Psychologie ist eine jüdische Schutzfarbe...

MARIANNE. Selbst dieses aparte Plätzchen verdanken wir seinem Feingefühl... Ach, endlich nicht im Gedränge zu stecken, in der Katastrophe, im stickigen Grauen... Atmen dürfen ohne Angst und Gefahr!

OBERST STJERBINSKY. Szabuniewicz versteht dieselben Künste. Sie werdens gleich sehn.

MARIANNE. Ich wäre jedenfalls auf ein kleines Frühstück neugierig...

OBERST STJERBINSKY. Wir Soldaten, wenn wir nichts zu essen haben, rauchen wir... Bitte...

MARIANNE. Sind Ihre Rezepte immer so zärtlich?

OBERST STJERBINSKY. Ich zermartere mir den Kopf, ob es möglich ist, daß eine schöne Frau von Familie sich in so etwas verlieben könnte wie Jacobowsky...

MARIANNE. Warum nicht? Wenn sie aufhört eine dumme Gans zu sein! Und wenn sie endlich verstehen lernt, daß Kopf

und Herz wichtigere Organe sind als lange Beine und schmale
Hüften!

OBERST STJERBINSKY (*nachdenklich*). Wahrscheinlich werde
ich Herrn Jacobowsky töten müssen ... (*Szabuniewicz kommt*
5 *kopfhängerisch von der Straße.*) Also was?! Geht ein Schiff
von Bayonne?

SZABUNIEWICZ. Gestern abend ging das allerletzte. Ein
Kohlenschiff mit dreihundert Menschen wie Heringe. Wir
sind wieder zu spät, wie in Bordeaux! ... Jetzt bleibt nur mehr
10 Saint Jean-de-Luz. Aber nicht einmal mehr der Präfekt hat
Essence ...

OBERST STJERBINSKY. Ich beginne, meinen Wert zu verlieren ... Hast du wenigstens was zu essen?

SZABUNIEWICZ. Einfach nichts! Bayonne ist kahlgefressen.
15 Restaurants und Läden gesperrt polizeilich ... Und ein Gewitter kommt auch ...

OBERST STJERBINSKY (*knirschend*). Du Schlafsack!

SZABUNIEWICZ. Wieso Schlafsack? Sie haben auf einer Ma-
tratze gelegen die ganze Nacht. Ich nicht! Ich muß mich jetzt
20 hinhauen ... (*Ab.*)

OBERST STJERBINSKY. Nur weit weg von hier! Damit ich dich
nicht sehe!

MARIANNE. Mit Szabuniewicz war es demnach nichts ...

OBERST STJERBINSKY. Ich habe also nur lange Beine und
25 keinen Kopf und kein Herz.

MARIANNE. Wer sagt das?

OBERST STJERBINSKY. Jacobowsky aber hat mehr Kopf und
Herz.

MARIANNE. Anders! Ihr seid Gegensätze.

30   OBERST STJERBINSKY. Danke, daß ich wenigstens ein Gegensatz sein darf! ... Sie aber sind keine dumme Gans mehr ...

MARIANNE (*mit sehr verhaltener Zärtlichkeit*). Bin ich es wirklich nicht mehr, Tadeusz Boleslav? Und ich gehe mit Ihnen durch dieses Teufelsgewühl bis zu Ende? Und ich werde sogar noch ein schmutziges Kohlenschiff besteigen für Sie irgendwo. Ich, eine Französin, der nichts geschehen kann. Be- 5 weis genug?

OBERST STJERBINSKY. Kein Beweis Ihrer Liebe ist mir genug, seit ich gehöre zur grauen Masse!

MARIANNE (*pocht auf die Hutschachtel*). Geschah es vielleicht zu meinem Komfort, daß ich Ihre schrecklichen polni- 10 schen Dokumente in dieser unschuldigen Hutschachtel versteckte, als wir die deutschen Tanks am Horizont sahen? Seitdem gefährden Sie nicht nur mein eigenes Leben, sondern auch zwei entzückende Kunstwerke der Modistin Yvonne. Beweis genug? 15

OBERST STJERBINSKY (*Marianne emporziehend*). Marianne, Wunderbare! Ohne dich könnt ich dieses schmutzige Leben nicht ertragen. Komm! Komm! Ich bin wie wahnsinnig...
(*Er reißt die Frau an sich, beugt ihren Kopf herab, will sie küssen.*) 20

MARIANNE. Geben Sie doch Achtung... Sie tun Coco weh...

OBERST STJERBINSKY (*tritt zurück, schwer atmend*). Dieses Hündlein vergällt mir die Existenz!...

MARIANNE (*sehr weich*). Tadeusz Boleslav...

OBERST STJERBINSKY. Keine Stunde war ich mit Ihnen allein! 25 Keine Stunde! Ahnen Sie, was ich fühle?! (*Er will sie wieder umarmen.*)

MARIANNE (*ausweichend*). Jacobowsky kommt...

OBERST STJERBINSKY. Coco und Jacobowsky... Jacobowsky und Coco... Ich bin sehr schwermütig... 30
(*Jacobowsky eilt von der Straße herbei. Er ist ziemlich atem-*

*los. Sein Gesicht aber beginnt angesichts Mariannes zu strahlen,
schleppt er doch ein prall gefülltes Hausfrauennetz voll guter
Dinge heran.*)

JACOBOWSKY. Eine gute Idee, Madame, daß Sie sich ins Freie
5 begeben haben aus dem Wagen. Gottes Natur ist Gottes Natur
und Gottes Natur ist eigens erschaffen für fröhliche Pick-
nicks...

MARIANNE. Wie haben Sie das alles bekommen, Monsieur?

JACOBOWSKY. Das ist doch nicht mein erstes Wunder, Ma-
10 dame... Man begegnet so vielen Freunden heute in Bayonne
und keiner ist rasiert und alle sind grau wie der Tod... Vergessen wirs!... Wir haben immerhin eine hübsche Strecke gelegt zwischen uns und die Deutschen, die noch immer bei
Tours stehen sollen. Unterbrechen wir also den Weltunter-
15 gang für eine Stunde und denken wir nicht daran, daß wir
festgefahren sind. Seien wir guter Dinge! Wenn Jacobowsky
guter Dinge ist, giftet sich Hitler grün und blau...

OBERST STJERBINSKY. Hitler führt den Krieg ausschließlich,
damit Herr Jacobowsky sich giftet...

20 JACOBOWSKY. Sie wissen ja garnicht, wie recht Sie haben,
Colonel! Der Weltuntergang wird aus Ihnen noch einen
Psychologen machen. (*Beginnt auszupacken.*) Das unschuldige
Tier zuerst! Milchschokolade für Coco...

MARIANNE. Ich bin Ihnen so dankbar, mein Freund!... Nun
25 hat Coco was Gutes! Der unschuldige Réfugié Coco... (*Sie
zerkleinert die Schokoladetafeln für den Hund.*)

JACOBOWSKY. Und wir weniger unschuldigen Réfugiés haben
hier heißen Kaffee in dieser Thermosflasche. Und wir haben
neun harte Eier und ein halbes Pfund Schinken und Butter
30 und Salami und Pâté de la maison und lange frische Brote, und
dieses ganze „Ravitaillement" war garnicht leicht zu erwer-

ben … Kommen Sie, Colonel, breiten wir den Plaid als Tischtuch aus … Hier … Nein, hier … (*Marianne hilft ihm, da sich
Stjerbinsky nicht rührt, den Plaid auszubreiten. Jacobowsky
wickelt einen Teil der Speisen in ein Papier.*) Der Anteil für
Szabuniewicz! Der Müde liegt dort wie eine Schildwache, die ₅
eingeschlafen ist …

MARIANNE. Bringen Sie ihm dieses Essen, Tadeusz …

OBERST STJERBINSKY. Ich?

MARIANNE. Sind Sie nicht sein Eigentümer?

JACOBOWSKY. Ich kann ja … ₁₀

OBERST STJERBINSKY. Nicht S i e! (*Er geht finster mit dem
Eßpaket ab.*)

JACOBOWSKY (*überreicht Marianne drei rote Rosen*). Hier,
Madame …

MARIANNE. Sie haben noch keinen Morgen meine Rosen ver- ₁₅
gessen, trotz aller Gefahren …

JACOBOWSKY (*während er mit ausgesprochenem Schönheitssinn die „Tafel" herrichtet*). Es ist mein dürftiger Dank an das
Schicksal, das die schrecklichsten Tage meines Lebens zu den
schönsten Tagen meines Lebens macht … ₂₀

MARIANNE. Ihre Rosen sind mir sehr wichtig, mein Freund …
(*Sie steckt die Rosen an.*)

OBERST STJERBINSKY (*zurückkommend*). Natürlich die Rosen … (*Verkniffen*) Aber kein Besteck!

JACOBOWSKY. Irrtum, geschätzter Colonel! Hier hat jeder von ₂₅
uns sein Tellerchen, sein Becherchen von Papier, sein Messer-
chen, sein Gäbelchen von eitel Blech. Ist das nicht wie „Hinter
den Bergen, Bei den Sieben Zwergen"? Schneewittchen!
Schade, daß Sie Grimms Märchen nicht kennen! Die deutsche
Kultur stößt einem immer wieder auf … Leider … ₃₀

(*Man hat Platz genommen und beginnt zu speisen.*)

MARIANNE. Grimms Märchen? Was ist das?

JACOBOWSKY. Etwas sehr Liebliches und sehr Grausames, Madame! Es wimmelt in Grimms Märchen von Menschenfressern, (*in die Ferne weisend*) wie jene Boches dort ... Vielleicht
5 sollte man doch die ominöse Hutschachtel besser verbergen ...

MARIANNE. Sie essen nichts, Tadeusz ...

OBERST STJERBINSKY. Ich lehne es ab zu essen!

JACOBOWSKY. Werden Sie auch zu trinken ablehnen? (*Oberst Stjerbinsky schweigt verstockt.*) Sie werden nicht ablehnen,
10 Colonel! ... Der Zauberer zaubert ... Hokuspokus! (*Er greift hinter sich ins Gras und bringt eine Flasche zum Vorschein.*) Hut ab vor diesem Elixier! Cognac, Réserve 1911!

OBERST STJERBINSKY (*zwischen den Zähnen*). Aber einen Korkenzieher haben Sie sicher nicht!

15 JACOBOWSKY. Ich schäme mich der billigen Triumphe, die Sie mir bereiten, Colonel! Sehen Sie hier dieses praktische Universalwerkzeug: Korkenzieher, Zange, Schuhlöffel und Taschenlampe in einer Person! (*Während er die Flasche entkorkt*) Mit diesem Geniestreich moderner Technik versuchte ich
20 meine Existenz Nummer Vier in Prag aufzubauen ... Es war ein Hereinfall ... (*Will dem Oberst einschenken.*)

OBERST STJERBINSKY. Nicht in den Papierbecher, bitte! Nur ein Barbar trinkt edlen Fine aus sowas! (*Greift in den Rucksack.*) Hier, meine Feldflasche!

25 JACOBOWSKY. All diese militärischen Gerätschaften seh ich nicht gern in Ihrem Besitz!

OBERST STJERBINSKY. Möchte wissen, was Sie das angeht ... Die Deutschen stehn bei Tours!

MARIANNE (*hat ein Brot für Jacobowsky belegt*). Ist das Sand-
30 wich so richtig, Monsieur?

JACOBOWSKY. Frankreich mußte fallen, damit die Elfenhand einer Frau für mich sorgt ... (*Er küßt ihr die Hand.*)

OBERST STJERBINSKY (*hat sich die Feldflasche vollgeschenkt*). Sie dürfen ruhig Réserve 1911 aus Papier trinken, Jacobowsky ...

JACOBOWSKY. Meine selige Mutter pflegte zu sagen: „Gebrannter Wein ist gut vor Sonnenaufgang und nach Sonnenuntergang."

OBERST STJERBINSKY. Und tagsüber?

JACOBOWSKY (*erhebt sich, um Wasser aus dem Bach zu holen, singt*). „Ich hört ein Bächlein rauschen." Schubert, Colonel! Es muß was zu bedeuten haben, daß mir die deutsche Kultur zum zweitenmal aufstößt!

MARIANNE. Bitte auch für mich!

OBERST STJERBINSKY. Aha! Das große Einverständnis in der Nüchternheit!

MARIANNE (*faßt lachend Stjerbinskys, und dann Jacobowskys Hand, der mit dem Wasser kommt*). Einmal einverstanden im Rausch! ... Das andremal einverstanden in der Nüchternheit! ... Die großen Gegensätze! Wie sind sie komisch!

OBERST STJERBINSKY. Gegensätze müssen sich vernichten!

MARIANNE. Vielleicht sollten sie einander ergänzen. Gegensätze sind immer nur Hälften.

OBERST STJERBINSKY. Wie auszeichnend, Herrn Jacobowskys schlechtere Hälfte zu sein!

JACOBOWSKY (*versöhnlich*). Sie sind die bessere, Oberst! Nehmen Sie mirs nicht übel.

OBERST STJERBINSKY. Sie haben es sehr weit gebracht seit einer Woche, Herr ... (*Leise, tief*) Denn ich hasse Sie! (*Nimmt einen tiefen Schluck.*)

JACOBOWSKY. Weil ich Wasser trinke? Ist das alles, was Sie mir vorwerfen?

OBERST STJERBINSKY. Nein! Nicht alles!

JACOBOWSKY. Interessant! Zum Beispiel?

5 OBERST STJERBINSKY. Als wir die Nacht gestern in Dax im Centre d'Acceuil schliefen, auf diesen ekelhaften Matratzen, Sie und ich nebeneinander — Stjerbinskys Glück — warum haben Sie mich da immer wieder angestarrt, so, so ...

JACOBOWSKY. Ich hab mich über Ihr Gesicht gewundert und 10 über Ihr Murmeln ...

OBERST STJERBINSKY. Meinen Rosenkranz hab ich gebetet. Und aus Scham vor Ihnen unter der Decke.

JACOBOWSKY. Machen Sie immer so drohende Augen, wenn Sie beten?

15 OBERST STJERBINSKY. Sie aber haben nicht gebetet, Jacobowsky, sondern am Bauch befestigt Ihre Kassette mit einem Riemen ... Sie haben sich gefürchtet!

JACOBOWSKY. In dieser Kassette liegt mein letztes Geld und einige teure Andenken!

20 OBERST STJERBINSKY (*Jacobowsky nicht zu Worte kommen lassend*). Sie haben sich gefürchtet vor mir! ... Schweigen Sie! Herr S. L. Jacobowsky hält somit den Oberst Tadeusz Boleslav aus dem edlen Hause Pupicky-Stjerbinsky für einen Lumpen, Strauchdieb, Wegelagerer ...

25 JACOBOWSKY. Nein, Colonel ...

OBERST STJERBINSKY. Schweigen Sie! (*Er trinkt die Feldflasche leer.*) Ich habe im Kriege Männer getötet und im Frieden Frauen verlassen. Gott helfe mir! Wer ist aber der Wegelagerer? Wer verführt durch Nüchternheit? Wer besticht 30 durch kriechende Sanftmut? Wer filzt sich ein durch Hilfsbereitschaft? Hitler hat recht. Ihr ganzes Sein ist Wegnehmen, Wegnehmen, Wegnehmen...

MARIANNE (*stark*). Ich dulde nicht, daß Sie so von unserm Freund sprechen!

OBERST STJERBINSKY. Schon ganz beim Gegensatz angekom- 5 men, wie?

MARIANNE. Es ist das Glück von uns Frauen, daß wir Gegensätze verstehen dürfen...

OBERST STJERBINSKY (*rasend*). Das Glück!... Immer besser! Er hat keine langen Beine, aber Kopf und Herz... Umarmen 10 Sie ihn doch...

MARIANNE. Noch ein Wort und ich stehe auf... Ich habe freiwillig das alles auf mich genommen... Wollen Sie mich strafen dafür?

OBERST STJERBINSKY (*beherrscht sich*). Wir werden abrech- 15 nen, wenn wir allein sind, Jacobowsky! (*Schenkt sich Cognac ein.*)

JACOBOWSKY. Also, an Ihrer Stelle, Colonel, würde ich das Wort „Abrechnen" lieber vermeiden!

MARIANNE. Taisez-vous!... Irgendwer kommt... Hören Sie 20 auf zu trinken! Sie vertragen ja garnicht so viel...

(*Auf der Straße ist ein Doppelzweirad aufgetaucht, dessen Vordersitz der Ewige Jude, dessen Hintersitz der Heilige Franziskus einnimmt. Die beiden steigen ab und nähern sich, das Tandem führend, der Gruppe. Der Ewige Jude ist ein 25 Mann von einigen dreißig Jahren, hager, vorgebeugt, mit hoher Stirn, schwarzem Kraushaar und der dicken Hornbrille eines Intellektuellen. Der Heilige Franziskus ist ein langer blasser Minoritenmönch in Sandalen, die Kutte wegen des Radfahrens mit Sicherheitsnadeln hochgesteckt.*) 30

DER EWIGE JUDE. Guten Morgen, wenn wir die Gesellschaft nicht stören ...

OBERST STJERBINSKY. Wer sind Sie eigentlich?

DER EWIGE JUDE. Eigentlich? Ja, wenn Sie mich so fragen ... (*Über seinen plötzlichen Einfall erheitert*) Eigentlich bin ich der Ewige Jude!

OBERST STJERBINSKY (*nach einem tiefen Schluck*). Sie hätte ich mir älter vorgestellt ...

DER EWIGE JUDE. Man tut, was man kann. Wenn einer zweitausend Jahre alt wird, so schaut er ungefähr aus wie ich ...

OBERST STJERBINSKY (*schon mit ziemlich glasigen Augen*). Und seit wann fahren Sie Tandem, Herr Wandernder Jude?

DER EWIGE JUDE. Bin ich nicht die Weltgeschichte des menschlichen Verkehrs persönlich? Freilich, ein Clipper-Billett wär mir lieber, um der Katastrophe schnell nach Amerika zu entkommen. Welch ein Unsinn, daß ich den Katastrophen immer wieder entkommen will!

OBERST STJERBINSKY. Sagen Sie, was zucken Sie da immer mit dem Mund? ... Lachen Sie?

DER EWIGE JUDE. Na, lachen Sie zweitausend Jahre über immer denselben Witz! ... Ich verziehe mein Gesicht zum Lachen, bleibe aber stecken, weil ich nicht lachen kann. Ich bin wie eine Glocke, die anschlägt, aber nicht läutet ... Und außerdem hab ich zwei Jahre Dachau hinter mir ...

MARIANNE. Und dort der geistliche Herr? ... Wollen Sie nicht näher kommen, hochwürdiger Pater?

DER EWIGE JUDE. Oh, verzeihen Sie. Ich habe vergessen vorzustellen! Dies hier ist der Heilige Franziskus!

DER HEILIGE FRANZISKUS. Hören Sie nicht hin! Er ist ein armer, trauriger Mensch, der mit seiner großen Not Scherz treibt ...

DER EWIGE JUDE. Und er wieder kann seinen schweren italienischen Akzent nicht loswerden, obwohl er sich mit Mussolini zerstritten hat...

DER HEILIGE FRANZISKUS. Ich habe mich mit niemandem zerstritten. Ich bin ein unwürdiger elender Mönch, der seine Hände erhebt und ruft: Gott hat uns geschaffen in seiner herrlichen Natur zu Brüdern und Schwestern und zu Lieb und Wonne und nicht zum herzlosen Nationalstolz...

JACOBOWSKY. Ich sehe zwei Gegensätze, die ganz gut mit einander auskommen!

DER EWIGE JUDE. Oh, wir sind ein Herz und eine Seele! Lassen Sie Gegensätze nur alt genug werden, dann finden sie sich, wie die Parallelen im Unendlichen.

MARIANNE. Wollen die Herren sich nicht niedersetzen und zugreifen?

DER EWIGE JUDE. Zugreifen? Nein! Gespenster sind immer nach dem Frühstück. Niedersetzen? Nein! Mein Beruf ist es ja, unstet zu sein. Wenn Sie uns aber mit etwas Geld für die Flucht weiterhelfen...

JACOBOWSKY (*gibt ihm einen Schein*). Leider herrscht Ebbe...

(*Oberst Stjerbinsky holt aus der Tasche etwas hervor, was er dem Mönch gibt.*)

DER EWIGE JUDE. Was ist das für ein Ding?

OBERST STJERBINSKY. Die Ehrenmedaille des internationalen Klubs gegen die Motorisierung der Welt.

DER EWIGE JUDE. Wir können durch Nachrichten danken... Finden Sie die Luft nicht sehr drückend?

OBERST STJERBINSKY (*hat beinahe die ganze Flasche geleert*). Ich sitze in einer Waschküche...

DER EWIGE JUDE. Bei solchem Wetter pflege ich umzugehn.

Im Eugène Sue und bei andern Autoren können Sie's nach-
lesen, daß ich der Bote des großen Windstoßes bin. Der Windstoß ist unterwegs. In Wiesbaden wurde der Waffenstillstand
geschlossen. Die Deutschen werden den größten Teil Frank-
5 reichs und die ganze Küste besetzen. Es bleibt uns nur mehr ein
Augenblick. Schon treffen die „Vorauseiltruppen" in den Bür-
germeisterämtern ein. Mit Auslieferungslisten! Es gibt zwei
Möglichkeiten...

JACOBOWSKY (*die Stirn wischend*). Zwei Möglichkeiten...
10   DER EWIGE JUDE. Entweder geht man ins Innere Frankreichs.
Das ist schlecht! Oder man versucht in Bayonne die nötigen
Visa zu bekommen, um die Brücke nach Irun zu überschreiten...

OBERST STJERBINSKY. Und Saint Jean-de-Luz... Wenn alle
15 Stricke reißen...

DER EWIGE JUDE. Wer weiß? Das Meer ist immer rätselhaft...

MARIANNE (*tritt, mit Tränen in den Augen, vor den Heiligen
Franziskus*). Hochwürdiger Vater! Ich habe nichts auf den
20 Straßen zu suchen. Ich bin eine Französin. Ich führe ein sehr
sündiges Leben. Schon allzulang hab ich keine Messe gehört
und nicht gebeichtet. Gedenken Sie meiner im Gebet! Würden
Sie mich bitte Ihres Segens würdigen?

DER HEILIGE FRANZISKUS (*scheu und ohne Salbung*). Möge
25 Gott Sie segnen, meine Tochter, Madame la France! Er wird
Ihnen Ihre Sünden vergeben, denn sie stammen aus dem
Leichtsinn des Herzens und nicht aus Bosheit. Ich sehe es
Ihrem Gesicht an, daß in Ihnen lebt die Liebe zum Schöpfer
und zu seinen Geschöpfen. Um dieser Liebe willen wird Gott
30 Sie wieder erheben, Madame la France!

(*Starker Wind ist zu hören.*)

DER EWIGE JUDE. Da ist der Windstoß! Man kann sich auf mich verlassen. Nach Bayonne, Pater! Es ist Zeit für uns... (*Beide ab auf dem Tandem.*)

(*Der Wind wird immer stärker und wirbelt die Papiere, in welche die Speisen gewickelt waren, über die Szene.*) 5

MARIANNE (*in tiefer Bewegung*). Ich gehe ins Auto... Folgen Sie mir nicht... Ich möchte allein sein...

OBERST STJERBINSKY (*schuldbewußt ihr nach*). Marianne... Mein geliebtes Leben... Lassen Sie mich erklären...

MARIANNE. Ich möchte allein sein... 10

JACOBOWSKY. Hiergeblieben, Stjerbinsky!

OBERST STJERBINSKY (*dreht sich scharf um*). Seit wann die Befehlsform?!

JACOBOWSKY. Hier liegt Ihr Offiziers-Rucksack! Ich nehme an, daß darin nicht nur Hemden und Unterhosen verpackt 15 sind...

OBERST STJERBINSKY. Das will ich meinen! Diese beiden Armee-Revolver zum Beispiel, Modell 1938! (*Holt sie heraus.*)

JACOBOWSKY. Ich fordere Sie auf, unverzüglich alles in diesen Bach zu werfen, woran Sie identifizierbar sind. Der Ewige 20 Jude verbreitet keine falschen Gerüchte. Vielleicht ist die Gestapo schon in Bayonne. Auf Ihren Kopf steht ein Preis. Mitgefangen, mitgehangen. Ihr Tod wäre unser Tod!

OBERST STJERBINSKY (*schwankend*). Sie überschätzen den Tod, Jacobowsky! 25

JACOBOWSKY. Der Mensch hat nur ein einziges Leben!

OBERST STJERBINSKY. Falsch! Der Mensch hat zwei Leben. Meinem unsterblichen Leben können die Boches nichts anhaben!

JACOBOWSKY. Ich hänge an meinem sterblichen Leben! 30

OBERST STJERBINSKY. Das ist ja die ganze Schweinerei...

JACOBOWSKY. Findet die Gestapo Ihren Rucksack, sind wir alle verloren...

OBERST STJERBINSKY. Eine ganze Flasche Cognac bringt neue Erkenntnisse...

5 JACOBOWSKY. Neue Illusionen...

OBERST STJERBINSKY. Ich weiß jetzt, daß Gott die Natur nicht so eingerichtet hätte, daß wir einander töten dürften, wenn unser irdischer Tod ein wirklicher Tod wäre...

JACOBOWSKY. Eine Religion für Totschläger!

10 OBERST STJERBINSKY. Eine Religion für Kavaliere, Jacobowsky! Wenn ich sterbe, dann lebe ich! Und darum lieb ich den Krieg und die Attacke, mit nacktem Säbel mitten hinein in die Maschinengewehre, und den Rausch und den Zweikampf. Ja, und die Ehre, dieses Prachtgefühl, daß meine Seele keine 15 schwarzen Füße hat...

MARIANNE (das Wagenfenster öffnend, ruft). Warum schreien Sie so?

OBERST STJERBINSKY. Ich bin nicht betrunken, meine Seele... Wir verhandeln nur eine Kleinigkeit...

20 JACOBOWSKY. Sie reden von Ehre und achten nicht einmal Menschenwürde.

OBERST STJERBINSKY. Menschenwürde ist eine Erfindung des kleinen Mannes für den kleinen Mann! Ich gebe Ihnen mehr. Sie bekommen zurück von mir, was Hitler Ihnen genommen 25 hat: Ehre! (Er drückt ihm einen Revolver in die Hand.)

JACOBOWSKY. Was soll das?

OBERST STJERBINSKY (verglast aber feierlich). Herr Jacobowsky! Sie beleidigen mich durch Ihre Existenz! Deshalb fordere ich Sie auf Satisfaktion mit zweimaligem Kugelwechsel...

30 JACOBOWSKY. Träum ich? Wach ich? Waffenstillstand in

Wiesbaden! Vorauseiltruppen! Die Küste wird besetzt. Ich bin in der Falle und hab ein Duell...

OBERST STJERBINSKY. Wir werden kämpfen um eine Frau, Jacobowsky...

JACOBOWSKY. Und um was für eine Frau, Stjerbinsky... 5

OBERST STJERBINSKY. Sie haben akzeptiert?

JACOBOWSKY. Warum nicht?... Warum nicht?...

OBERST STJERBINSKY. Sie lernen durch mich die Ehre schätzen?

JACOBOWSKY. Keine Spur! Aber ein heftiges Bedürfnis ent- 10 wickelt sich in mir, Sie loszuwerden für immer, Sie Albdruck! Welch eine Gelegenheit! Und schießen kann jedes Kind...

OBERST STJERBINSKY. Ich bin fair! Ich gebe Ihnen voraus eine ganze Flasche Cognac. Meine Hand ist unsicher. Sie können mich töten auf zwölf Schritte Distanz. Wir losen, wer zuerst 15 schießt. Akzeptiert?

JACOBOWSKY. Akzeptiert! Erklären Sie mir nur vorher den Mechanismus...

OBERST STJERBINSKY (*nimmt ihm den Revolver aus der Hand, entsichert und spannt ihn*). So...   20

SZABUNIEWICZ (*kommt gerannt, die Arme schwingend, mit entsetzt aufgerissenen Augen*). Herr Oberst... Madame... Herr Oberst... Madame... Sie haben uns... Die Boches...

JACOBOWSKY. Laufen wir!

SZABUNIEWICZ. Zu spät... Dort...   25

(*Jacobowsky packt mit wildem Entschluß Stjerbinskys Rucksack und schleudert ihn in den Bach. Marianne eilt schreckensbleich herbei.*)

OBERST STJERBINSKY (*mit beiden Revolvern in der Faust vorgehend*). Ich habe vierundzwanzig Patronen!   30

SZABUNIEWICZ (*wirft sich ihm in den Weg, umklammert ihn, ringt mit ihm*). Nur jetzt nicht verrückt sein, mein Vater und Wohltäter ...

MARIANNE (*umklammert ihn von der andern Seite*). Ta-
5 deusz ... Kommen Sie zu sich, Geliebter ...

OBERST STJERBINSKY. Eh' sie mich hinmachen, sechs nehm ich mit, mindestens ...

JACOBOWSKY. So denken Sie doch an Marianne ...!

(*Oberst Stjerbinsky läßt die Arme sinken und steckt die*
10 *Waffen ein.*)

MARIANNE. Sie dürfen kein Wort sprechen, kein Wort, mein Leben ... (*Zu Jacobowsky*) Helfen Sie! Helfen Sie ihm!

JACOBOWSKY. Kann ich mir selbst helfen? (*Erblickt plötzlich die Hutschachtel.*) Gerechter Gott! Die Hutschachtel!

15 (*Auf der Straße macht die Spitze einer deutschen Patrouille auf Motorrädern halt. Sie ist von einem Oberleutnant geführt, und begleitet von einem Gestapobeamten, der während des blitzhaften Vormarsches noch nicht Zeit gefunden hat, sein Touristengewand mit der Uniform zu vertauschen.*)

20 OBERLEUTNANT (*preußischer Junker mit Monokel, kommandiert*). Absitzen! (*Man sieht nur das erste Glied der Abteilung, vier Mann, zwei für jedes Motorrad, die regungslos stramm stehen, bis zum Ende. Oberleutnant zur Flüchtlingsgruppe*) Bitte sich nicht vom Orte zu bewegen! (*Nähert sich*
25 *langsam mit dem Touristen.*) Habe ich es mit französischen Staatsbürgern zu tun?

MARIANNE (*tritt etwas vor, hält aber Stjerbinskys Hand umkrampft*). Ich, Monsieur ...

OBERLEUTNANT. Mein Befehl, gnädige Frau, zwingt mich, Sie
30 und Ihre Gesellschaft anzuhalten. Andrerseits habe ich die

strikte Weisung, der Bevölkerung des Feindlandes mit ge-
schliffenster Höflichkeit entgegenzukommen...

MARIANNE (*tonlos*). Was für Befehl?

OBERLEUTNANT. Wir haben vorzuspritzen und den Wald
durchzukämmen!

MARIANNE. Was haben Sie?

OBERLEUTNANT. Vorzuspritzen...

TOURIST (*rosiges Schweinsgesicht, das sächselt, grüner Hut
mit Rasierpinsel, Wadenstrümpfe, kurze hellgelbe Jacke*). Und
durchzukämmen... Und hinter uns kommt die Quab!

MARIANNE. Die Quab, oh, heilige Jungfrau... Und wer sind
Sie, mein Herr?

TOURIST. Ich bin ein Tourist, dessen Uniform unterwegs
ist...

OBERLEUTNANT. Sie brauchen nicht zu erschrecken, gnädige
Frau! Unsere Tathandlung richtet sich nicht gegen Frankreichs friedfertige Bürger, sondern gegen politische Missetäter,
insbesondere Angehörige der sogenannten tschechoslowaki-
schen und polnischen Armee in Frankreich aus den Lagern von
Angers und Agde... Ich bitte also, sich zu legitimieren... (*Zu
Jacobowsky*) Sie zuerst!

JACOBOWSKY (*kreideweiß, schweißübergossen, nach Atem
ringend, reicht mit bebender Hand dem Oberleutnant seinen
Ausweis, der ihn dem Touristen weitergibt*). Ich bin keine
Militärperson...

OBERLEUTNANT. Das seh ich...

TOURIST (*die Identitätskarte genußvoll aufblätternd*). Jaco-
bowsky! Das ist eindeutig. Jot wie Jude! Ehemals deutscher
Reichsangehöriger! Ausgebürgert... (*Scharf*) Sagen Sie, sind
Sie vielleicht Schriftsteller?!

JACOBOWSKY (*zusammenfahrend*). Gott behüte, Herr Tourist! Ich lebe von Gelegenheitsgeschäften ...

TOURIST. Kennt man! Schmarotzer am Leibe der Menschheit ... (*Reicht dem Oberleutnant die Papiere, der sie an Jaco-*
5 *bowsky zurückgibt.*)

JACOBOWSKY (*dem Glück nicht trauend*). Ist das alles?... Ich darf mich entfernen?...

TOURIST. Ja, wie ein Affe am Dressierhalsband ... Sie entgehn uns nicht ...

10 OBERLEUTNANT. Der Nächste! (*Übernimmt die Dokumente von Szabuniewicz, die wieder zum Touristen wandern.*) Nationalität?

SZABUNIEWICZ. Pole ...

TOURIST. Aha, Pole! Schon faul! Mal sehn ... (*Schlägt ein*
15 *schwarzes Buch auf, das er unterm Arm geklemmt hielt.*) Szabuniewicz, Sch wie Schweinehund, nee, stimmt nicht, weil S und z ... (*Blätternd und lesend*) Seversky Ludomir, Oberstleutnant, Spinicz Alois, Kapitän, Sikorsky, Armeegeneral, Stjerbinsky, Tadeusz Boleslav, Oberst, drei Kreuze ... Namen
20 sind das, Stjerbinsky, Szublow ... (*Klappt das Buch zu.*) Beruf?

SZABUNIEWICZ. Wissenschaftlich, der Herr ... (*Der Tourist verwundert*) Hühneraugenoperateur, Masseur, Desinfektor, Exterminator und Aushilfsirrenwärter ...

25 OBERLEUTNANT. Irrenwärter?

SZABUNIEWICZ. Steht vermerkt alles ... (*Er bekommt seine Papiere zurück.*)

OBERLEUTNANT. Gnädiges Fräulein oder gnädige Frau ... (*Marianne nestelt aus ihrem Täschchen ein Dokument.*) Ma-
30 dame Marianne Deloupe ... Verehelichte Deloupe?

MARIANNE. Ich bin ... Ich war verehelicht ...

JACOBOWSKY (*der sich etwas zurückgezogen hatte, fällt schnell ein, auf den Obersten weisend*). Hier steht der verstorbene Gatte der Dame!

OBERLEUTNANT UND TOURIST. Was?!!

JACOBOWSKY (*plötzlich verwandelt, kühl, überlegen*). Verzei- 5 hung! Ich habe mich versprochen. Der verstorbene Gatte der Dame lebt bis zu einem gewissen Grade. Und doch, — die Dame ist eine Art Witwe, würde sie sonst mit einem Irrenwärter reisen?

OBERLEUTNANT. Der Herr da ist ... 10

TOURIST. Ich möchte die Papiere dieses Herrn Deloupe sehn ...

JACOBOWSKY (*immer kühner*). Papiere? Ja, wissen Sie nicht, was vorgegangen ist? Es stand in allen Zeitungen. Als Ihre Flieger die Irrenanstalt bei Nantes zum fünftenmal bom- 15 bardierten, da brachen die Kranken aus, liefen durch die Straßen, rannten in die Felder. Viele brachten sich um. Nur ein Bruchteil konnte wieder eingefangen werden. Madame Deloupe gelang es, mit Hilfe dieses Fachmannes hier, ihren Gatten in der Nähe von Nantes aufzuspüren. Aber in welchem 20 Zustand! Halb eingesunken im Moor ...

TOURIST. Sagen Sie mal, wer redet eigentlich mit Ihnen, Sie rotes Jot?

MARIANNE (*nimmt schnell den Faden auf — von nun an alles in wildem Tempo*). Halb eingesunken im Moor! Ohne 25 Kleider! Nur in seinem Anstaltspyjama. Wir mußten ihn beruhigen, stundenlang. Dann in der Stadt einen Anzug kaufen. Und welch eine Fahrt in dem Wagen dort ... (*Schluchzt auf.*) Ich hab es auf mich genommen, ihn im Sanatorium von Saint Jean-de-Luz selbst zu pflegen mit Hilfe von Herrn Szabunie- 30 wicz ...

SzABUNIEWICZ. Kann ich bestätigen jedes Wort. Als Fachmann...

TOURIST. Na, guter Mann! Wie gehts allemal? Franzosen
rühren wir nicht an... (*Er bewegt sich auf Stjerbinsky zu, der*
5 *wirklich mit den Augen eines Wahnsinnigen Schritt um*
Schritt zurückweicht.)

MARIANNE (*schreit auf*). Nicht direkt ansprechen! Um
Gotteswillen!

JACOBOWSKY. Er beginnt sofort zu toben... Sie würden
10 staunen!

MARIANNE (*Stjerbinsky umarmend und streichelnd*). Es ist
nichts, mein Engel! Sei nur gut! Niemand wird dir ein Haar
krümmen. Ich, deine Marianne, schütze dich! Ja, ja, wir gehen
zusammen, wohin du willst... Da, nimm Coco, deinen lieben
15 Coco... (*Aufschluchzend*) Das Hündlein ist sein ganzes
Glück...

(*Oberst Stjerbinsky steht regungslos, Coco im Arm.*)

TOURIST (*der stehen geblieben ist*). Kann der Mann nicht
reden?

20 MARIANNE. Er redet meist nur mit Coco oder mit sich
allein...

SzABUNIEWICZ. Kann ich bestätigen jedes Wort. Als Fachmann...

TOURIST. Die ganze Chose gefällt mir nicht... Man muß
25 Anhaltspunkte finden... Vielleicht im Gepäck...

MARIANNE (*verächtlich zum Oberleutnant*). Der Rest meines
Gepäcks liegt im Auto dort. Der Kranke aus der Anstalt von
Nantes hat keines. Es ist alles offen, Monsieur.

TOURIST. Quandt und Scherr! Schauen Sie mal die Sachen
30 durch! Nach Papieren! (*Zwei SS-Leute, von hinten herbei-
laufend, stürzen sich aufs Auto und beginnen es durchzu-*

wühlen. Der Tourist nimmt den Oberleutnant etwas zur Seite.)
Riechen Sie den Fischkopf? A trois...

OBERLEUTNANT. A trois?

TOURIST. Französisches Dreieck! Jede Französin schläft mit
zwei Männern, regelmäßig... 5

OBERLEUTNANT. Na, im Bund deutscher Mädels soll mans
machen à quatre bis à douze!

TOURIST. Erlauben Sie mal. Dieser Vergleich kratzt doch
wohl im Halse. Wenn eine freie deutsche Jungfrau mit einem
oder mehreren Parteigenossen über den flammenden Julklotz 10
springt und dann beim Schein der deutschen Sterne mit
weltseligem Lockruf den Vater ihrer Kinder wählt, dann tut
sie es im Vollbewußtsein ihrer Gebärtüchtigkeit und ihres Bei-
trags zum ewigen Leben des Volkes... Dieses hier aber ist
Rassenschande... (*Ein SS-Mann überreicht dem Touristen ein* 15
Bündel Papiere. Der Tourist blättert.) Rechnungen, nichts als
Rechnungen... Herr Jacobowsky bezahlt... Diese Bolsche-
wiken sind alle Plutokraten... (*Wirft Jacobowsky das Papierbündel verächtlich hin.*)

OBERLEUTNANT (*will Schluß machen*). Halten Sie den Mann 20
Deloupe für einen getarnten Offizier der okkupierten Nationen? Wenn nicht, geb ich den Abmarschbefehl...

TOURIST. Bin mit meiner Willensbildung noch nicht zu
Ende... Was denken Sie von dem Mann?

OBERLEUTNANT. Denken ist nicht mein Geschäft! 25

TOURIST. Für sowas hab ich den Röntgenblick! Sehen Sie sich
man die ausgehöhlte Fassade von dem Menschen an, diese einge-
fallenen Augen... (*Jacobowsky fixierend, laut*) Klinischer
Fall der Zerrüttung eines Rassenariers durch Juda!

JACOBOWSKY (*mit äußerster Bescheidenheit*). Um Verge- 30
bung, Herr Tourist! Ich will dem Rassenamt nicht vorgreifen.

Aber Loup heißt französisch: Wolf. De Loupe, Fils de Loupe,
Sohn des Wolfes, Wolfsohn. Die Wölfe und Wolfsöhne pflegen auch in Frankreich keine Arier zu sein ...

TOURIST. Wolfsohn?! Habe gleich gespürt, daß hier etwas
5 nicht stimmt ... (*Bemerkt die sarkastische Maske des Ober-
leutnants, wird verlegen und zeigt ärgerlich auf die Hutschachtel.*) Was ist das?

MARIANNE (*mit höchster Ruhe*). Das ist eine Hutschachtel.

TOURIST. Und was ist in der Hutschachtel?

10 MARIANNE. Was kann in der Hutschachtel einer Frau sein?
Hüte! (*Blickt dem Oberleutnant starr ins Auge.*) Soll ich öffnen, Monsieur?

OBERLEUTNANT. Bin Soldat und kein Zöllner ...

MARIANNE (*tollkühn vor der Schachtel hinkniecnd, läßt das
15 Schloß aufspringen*). Es sind darin zwei Hüte, zwei Wasch-
blusen, Strümpfe, ein Sweater, Tennisschuhe ...

(*Oberst Stjerbinsky steht sehr weit von den andern entfernt.
Er hält Coco noch immer im linken Arm. Im Augenblick der
höchsten Gefahr verkrampft sich sein Gesicht. Langsam zieht
20 er den Revolver aus der Tasche, was Szabuniewicz und das
Publikum bemerken.*)

SZABUNIEWICZ (*stürzt sich wie rasend auf Stjerbinsky, würgt
ihn, schlägt ihn, schüttelt ihn, brüllt*). Werden Sie mich loslassen, Sie Teufel, Sie verfluchter! Sie werden mich nicht wieder
25 beißen, Sie wütender Hund. Loslassen! Sonst kommen Sie ins
Gitterbett und in die Zwangsjacke noch heute! Loslassen!

(*Coco heult und bellt in Todesschreck.*)

JACOBOWSKY (*Schlag auf Schlag*). Ein Anfall! Da haben Sie
es! Ein Anfall! Die Herren sind Madame zu nahe gekommen.
30 Das erträgt er nicht. Auch den Namen Wolfsohn erträgt er
nicht ...

MARIANNE (*bricht über der Hutschachtel zusammen*). Ich gehe zugrunde ... Ich kann nicht mehr ...

JACOBOWSKY (*um Marianne bemüht*). Die unglückliche herzkranke Frau ... Da sehen Sie, was Liebe vermag ... Wasser! Helfen Sie! ... Ist Ihr Regimentsarzt nicht in der Nähe? ... Wo 5 bleibt die geschliffenste Höflichkeit zur französischen Bevölkerung? ...

OBERLEUTNANT (*jugendlich. bestürzt*). Ich bedaure sehr, Gnädigste ...

SZABUNIEWICZ (*Stjerbinsky die Stirn streichend*). Sehn Sie, 10 Herr ... Ihrer Frau tut niemand etwas ... Ruhig, schön die Muskeln entspannen ... Da haben Sie Coco wieder ... Zuhause gibts dann eine pickfeine Injektion ...

OBERLEUTNANT. Dalli, dalli, Wärter! Liefern Sie Ihren gemeingefährlichen Patienten schnellstens in der nächsten Klinik 15 ein!

JACOBOWSKY (*feierlich*). Das ist eben der wunde Punkt, Herr Oberleutnant! Das Auto von Madame kann sein Ziel nicht erreichen, denn der letzte Tropfen Essence ist ausgegangen. Es ist festgefahren wie ganz Frankreich. Nur Sie können dieser 20 Französin ritterlich helfen ...

OBERLEUTNANT. Feldwebel! Füllen Sie mal ein paar Liter von unserm Erdfaltenausbruchsölersatz Gasigasol für die Dame ab!

FELDWEBEL. Jawoll, Herr Oberleutnant! (*Der Befehl wird eiligst ausgeführt.*)   25

TOURIST (*nachdenklich*). Die Chose gefällt mir nicht ... Der Mann gehört mindestens unter Beobachtung ...

OBERLEUTNANT (*mit Schärfe zum Touristen*). Trotz bester Organisation hab ich in der Vorauseiltruppe, die ich kommandiere, keinen Psychiater und keine Gummizelle ... Sache 30 der Quab ...

(*Die Partei muß diesmal der Wehrmacht weichen. Sie tuts mit Zähneknirschen.*)

Tourist. Sache der Quab ... Alle bleiben am Dressierhalsband ... (*Schnell ab auf der Straße.*)

5 Feldwebel. Fertig, Herr Oberleutnant!

Oberleutnant (*kommandiert*). Das Ganze — Kehrt! Aufsitzen! Richtung halbrechts durch den Wald zum weiteren Durchkämmen! (*Entfernt sich der verdröhnenden Patrouille nach.*)

10 (*Atemlose Erstarrung. Marianne faßt sich als erste, erhebt sich, geht schwebend auf Jacobowsky zu, küßt ihn. Jacobowsky knickt darauf zusammen und droht umzusinken.*)

Marianne. Er wird ohnmächtig ...

Jacobowsky (*sich sofort ermannend*). Schon vorüber ...
15 Zuerst hat einen der grosse Ichthyosaurus in den Krallen und, siehe da, er sächselt. Und dann bekommt man den Kuß seines Lebens! Das ist zu viel für einen nervösen Menschen ...

(*Das Gewitter, das schon lange fühlbar war, kommt näher.*)

Marianne. Jacobowsky, mein Freund, was haben Sie ge-
20 tan ...

Jacobowsky (*sehr erstaunt über sich selbst*). Mein größtes Wunder, wahrhaftig! Ich hab wieder Essence bezogen, und diesmal direkt von der Hölle!

Marianne. Sie haben mehr getan. Sie haben Ihrem großen
25 Gegensatz das Leben gerettet!

Oberst Stjerbinsky (*mit tief gesenktem Kopf*). Er hat mich vernichtet. Szabuniewicz! Ich fühl mich wie eine unbegrabene Leiche. Selbst Coco ekelt sich vor mir ... (*Er gibt Szabuniewicz das verzweifelt maulende Hündchen.*)

30 Marianne. Tadeusz! Freuen Sie sich doch Ihres Lebens! Es

ist funkelnagelneu. (*Sie dreht sich begeistert wie im Tanz.*) Ich
freu mich, ja, ich freu mich ...

OBERST STJERBINSKY. Und ich möcht gehn, mit allen Auszeichnungen an der Brust, gehn den Boches entgegen auf der
Straße und mich selbst ausliefern ... (*Dumpf zu Jacobowsky*) 5
Sie hätten schweigen können und ruhig zusehn, wie die Nazis
mich verhaften oder töten ... Warum haben Sie nicht geschwie-
gen?

JACOBOWSKY. Ich weiß nicht ... Inspiration ist alles ...

OBERST STJERBINSKY. Wär ich Marianne, auf mein Wort, ich 10
würde mit Jacobowsky gehn und nicht mit Stjerbinsky, dem
Verrückten, dem Geschlagenen, dem Halben! (*Stark*) Lassen
Sie mich stehn! Gehn Sie mit Jacobowsky, Marianne!

JACOBOWSKY. Stjerbinsky, spielen Sie nicht mit dem Feuer!
Es ist sehr ernst. Ja, Marianne würde mit Jacobowsky gehn, 15
wenn Jacobowsky kein Troubadour wäre, sondern ein „Weg-
nehmer", nach Ihren Worten. Jacobowsky aber weiß zuviel.
Jacobowsky ist ein Verlorner, wenn er vielleicht auch am Le-
ben bleibt, ein Emigrant auf dem ganzen Planeten. Soll er die
Frau seines Herzens in die Erniedrigung ziehen? Niemals! 20
(*Leise*) Stjerbinsky ist kein Verlorner, Marianne ...

MARIANNE (*hat die Hände der beiden Männer gefaßt*). Ihr
Lieben, gebt euch die Hand, Ihr Lieben ...

JACOBOWSKY. Auch das noch! Nein! (*Er reißt sich los.*)
Hören Sie die Motormänner?! Sie durchkämmen den Wald 25
und die Welt. Das nächstemal bleiben wir im Kamm. Noch ein
Tag. Und dann kommt die Quab ...

MARIANNE. Was ist die Quab?

JACOBOWSKY (*geheimnisvoll*). Die Qu. — A. — B.!

MARIANNE. Was ist die Qu. — A. — B.?   30

JACOBOWSKY. Ich weiß nicht. (*Er reicht ihr den Arm und führt sie zum Auto.*) Ich weiß nur, daß unsre Wege sich trennen. Sie fahren mit ihm in diesem Wagen nach Saint Jean-de-Luz, um ein Schiff zu finden. Ich gehe das Stückchen nach
5 Bayonne zu Fuß, um meine Visa zu finden für die Brücke nach Irun! Nehmen Sie Platz! (*Marianne gehorcht wie hypnotisiert.*) Bringen Sie die Sachen in den Wagen, Szabuniewicz! (*Szabuniewicz tut es.*)

MARIANNE (*ganz verstört*). Ich verstehe Sie nicht. Was heißt
10 das alles?

JACOBOWSKY. Das heißt ... Der Arzt hat mir Bewegung angeraten. Ich muß endlich etwas für meine Gesundheit tun ...

MARIANNE. In diesem Gewitter und Regen?

JACOBOWSKY. Im Regen wächst man, sagte meine Mutter zu
15 uns Kindern ... (*Er nimmt seine kleine Tasche aus dem Wagen.*) Ans Steuer, Oberst! ... Braver Szabuniewicz ... Und nun auf Nimmerwiedersehen, Marianne!!

MARIANNE. Aber das ist doch unmöglich ... Überreden Sie ihn, Tadeusz!

20 JACOBOWSKY (*grimmig*). Kein Wort, Stjerbinsky, kein Wort! Ich möcht in diesem Leben Ihre Stimme nicht mehr hören! Los! ... Los! (*Voll Qual*) Los! Ich kann nicht länger ... (*Stampft auf.*) Bremse, Gas, Stjerbinsky!!!

(*Blitz und Donner. Der Wagen setzt sich in Bewegung.*)
25 MARIANNE (*sich umdrehend, ruft*). Jacobowsky ...

(*Der Wagen verschwindet. Jacobowsky drückt den Hut in die Stirn, stellt den Rockkragen hoch, nimmt die Handtasche vom Boden.*)

JACOBOWSKY (*mit einem zweifelnden Blick zum Wetter-*
30 *himmel*). Wächst man wirklich? ... (*Er beginnt zu gehen.*)

DRITTER AKT

DES DRITTEN AKTES
ERSTER TEIL

Das Hafencafé „Au père Clairon" zu Saint Jean-de-Luz

(Enges Lokal mit einigen Tischchen an der Wand. Hinter der hohen französischen Bar hantiert Papa Clairon, der Wirt. Manchmal verschwindet er durch einen Vorhang in die Küche, um eine Bestellung auszuführen. An der Bar lehnt der Würfel- spieler, ein Gentleman, der aufmerksam mit sich selbst Würfel 5 spielt, ohne den Vorgängen ringsum die geringste Beachtung zu schenken. Ein paar Gäste sitzen schweigsam an den Tischen, schattenhaft vor Unheilsahnung. Nur zwei kleine Kinder plap- pern manchmal, ein sechsjähriges Mädchen und ein achtjäh- riger Knabe, die ihr Vater, der Witwer, unwillig zur Ruhe 10 verweist. Das große Billard steht in der Mitte des Raums. Der tragische Herr spielt mit dem Unsterblichen (de l'Académie Française) eine Partie. Jacobowsky sitzt, den Kopf auf die Hände gelegt, sodaß man ihn erst später erkennt, in der Nähe jener beiden Türen mit den großen Aufschriften „Messieurs" 15 und „Dames". Er schläft. Neben ihm, in der gleichen Stellung, ein Mann mit grauer Musikermähne scheint ebenfalls zu schla- fen. Aus dem schlechten Radio ertönt die hohle Stimme Maré- chal Pétains, immer wieder von Husten unterbrochen. — Später Nachmittag, der gegen Ende in den Abend übergeht.) 20

MARÉCHAL PÉTAIN. Die Nation war ihrer Aufgabe nicht gewachsen ... Eheköchekunz ... Von politischen Scharlatanen,
von gewissenlosen Geschäftemachern, von verbrauchten Männern und Ideen zum Abgrund geführt, ergriff sie nur zögernd
5 die Waffen ... Ebochebochkichkich ... (*Spricht und hustet
weiter.*)

KLEINER JUNGE. Ist das Monsieur Reynaud, Papa?

WITWER. Schweig!

DER TRAGISCHE HERR (*sein Spiel unterbrechend*). Mein Klei-
10 ner! Das ist der liebe Großpapa mit dem eiskalten Herzen! Das
ist der Verrat, der von Ehre spricht! Das ist der verschimmelte
Sieg von vorgestern! Das ist leider noch immer ein Maréchal
von Frankreich! Das ist Monsieur Pétain!

WÜRFELSPIELER (*der gelassen einen Absinth nach dem an-
15 dern vor sich hin trinkt*). Noch einen Pernod, Clairon!

PÉTAIN. Franzosen! Reißt euch los von einer frevelhaften
Vergangenheit! Beteiligt euch am Aufbau eines neuen Europas ... Ehekechkachkoch ...

DER TRAGISCHE HERR. Kann diesen unverwüstlichen Kadaver
20 niemand zum Schweigen bringen?

CLAIRON (*dreht das Radio ab*). Ich kann es ...

DER UNSTERBLICHE (*sanft, selbstgefällig, mit Haaren und
einem Knebelbärtchen wie aus Weihnachtswatte*). Er ist immerhin der Staatschef ... Ich würde vorsichtiger sein ...

25   DER TRAGISCHE HERR. Die Vorsicht üben ja Sie, Allbewun-
derter, obwohl Sie als „Unsterblicher" weniger Vorsicht nötig
hätten als wir niedriges Erdengewimmel ...

DER UNSTERBLICHE. Warum so bitter, mein Freund? Hüten
wir uns vor der Bitterkeit unsrer gallischen Natur! Ich gestehe,
30 ich bin in dieser Stunde doppelt stolz, zu jenen vierzig Männern zu gehören, die einen Fauteuil unter der Kuppel der

Académie Française innehaben. Man verleiht uns das unbescheidene Adjektiv „unsterblich" mit einigem Recht, denn wir repräsentieren jenen Wert der Nation, den ein Sieg nicht erhebt und eine Niederlage nicht erniedrigt ...

DER TRAGISCHE HERR. Welcher Wert wäre das?   5

DER UNSTERBLICHE (*einen schwierigen Ball hinterm Rücken spielend*). Der Geist, mein Freund ... Hopla ... L'esprit gaulois ...

DER TRAGISCHE HERR. Und was gedenkt der Geist zu tun heute?   10

DER UNSTERBLICHE. Der Geist lächelt einerseits milde über den Lauf der Welt und stellt sich andrerseits auf den Boden der Tatsachen ...

DER TRAGISCHE HERR. Der Geist geht somit zu Monsieur Pétain über ...   15

DER UNSTERBLICHE. Werden wir nicht bitter! Que voulez-vous? Ich bin ein emsiger Autor, der dreißig Werke zu Ehren der französischen Kultur verfaßt hat.

DER TRAGISCHE HERR. Und was wird Ihr einunddreißigstes Werk sein?   20

DER UNSTERBLICHE (*eine graziöse Serie spielend*). Das bedarf kühnster Überlegung, mein Freund, denn der Augenblick ist delikat. Man geht am besten historisch vor und wählt einen Standpunkt hoch über der Zeit. Ich plane ein Büchlein über „Die provençalische Kochkunst unter den Päpsten in 25 Avignon" ...

DER TRAGISCHE HERR. Da läuft einem ja das Wasser im Munde zusammen! Verzeihung, cher maître, könnten Sie nicht ebenso kulinarisch und noch um einen Schatten kühner sein? Wie wärs mit dem Thema: „Aufschwung der französischen Koch- 30 kunst unter den hochindustrialisierten Kannibalen"?

DER UNSTERBLICHE. Ich begegne bei uns immer wieder dieser verhängnisvollen Unterschätzung der deutschen Kultur. Wo steht es geschrieben, daß wir uns immer nur auf den anglo-amerikanischen Krämergeist stützen müssen? Das germa-
5 nische Element wars, das nach Roms Zusammenbruch Europa vom Keller zum First gebaut hat! Auch haben wir Zusicherun-gen aus Berlin empfangen, vom Führer persönlich, daß der französische Geist im neuen Europa gehegt und gepflegt wer-den soll...

10 DER TRAGISCHE HERR. Wohl bekomms! Ich wünsche Ihnen ein unangenehmes Erwachen!

DAS KLEINE MÄDCHEN. Wann gehn wir nachhaus, Papa?

WITWER. Schweig! Wir haben kein Zuhaus vorläufig...

DER UNSTERBLICHE. Wünschen Sie nicht weiterzuspielen?

15 DER TRAGISCHE HERR. Sie sind mir auch im Billard zu über-legen, cher maître...

DAS KLEINE MÄDCHEN (*auf einen prähistorischen Musikauto-maten in einer Ecke zeigend*). Darf ich Geld in die Musik werfen, Papa?

20 WITWER. Heute gibts keine Musik.

DER TRAGISCHE HERR (*leise zu Clairon, der ihm ein Bier ser-viert*). Wer ist dieser Bursche dort mit dem Pernod?

CLAIRON. Ich kümmere mich nicht um Politik...

DER TRAGISCHE HERR (*zwischen den Zähnen*). Also Ge-
25 stapo... Wie ist das Wetter draußen?

CLAIRON. Ich kümmere mich nicht um Politik...

DER TRAGISCHE HERR. Also doppelt Gestapo...

CLAIRON (*laut*). Komisches Wetter heut! Novembernebel im Hochsommer!

30 DER TRAGISCHE HERR. Der Kerl schaut nicht aus wie ein Deutscher...

CLAIRON (*indem er den Tisch sauber wischt, an den sich der tragische Herr gesetzt hat*). Ein Amerikaner vielleicht ...

DER TRAGISCHE HERR. Woher wissen Sie das?

CLAIRON. Er hazardiert seit Stunden mit sich selbst. Und zwar per Kassa! Dazu ist nur ein Amerikaner imstande! (*Geht hinter die Bar.*) 5

DER TRAGISCHE HERR. Camouflage!

WÜRFELSPIELER. Einen Pernod, Clairon!

(*Jacobowsky hebt den Kopf. Er sieht todmüde aus und übernächtig.*) 10

JACOBOWSKY. Einen schwarzen Kaffee, Clairon, arrosé mit Rum. Ich habs nötig für meine „Morale"...

DER TRAGISCHE HERR (*stutzt, Jacobowsky erblickend*). Ist das nicht der sonnige Günstling Madame Bouffiers aus dem Hotel „Mon Repos et de la Rose"? Sehr sonnig sehn Sie nicht aus ... 15

JACOBOWSKY. Sie sind erstaunlich weit gekommen, Monsieur, zu Fuß! Aber Paris haben Sie doch nicht mitgebracht!

DER TRAGISCHE HERR (*grandios*). Überall, wo ich bin, ist Paris!

CLAIRON (*kommt mit dem Kaffee*). Und der andre Herr? 20 Wird er nicht einen Kaffee arrosé brauchen? Schläft schon eine Stunde mindestens ...

JACOBOWSKY (*tippt seinen schlafenden Nachbarn leise auf die Schulter*). He, Kamnitzer ... Doktor Kamnitzer ... Lassen wir ihn schlafen! Er hat nicht meine Natur. Wir haben die 25 letzten drei Tage und Nächte gemeinsam in der Schlange von Tausenden vor den Konsulaten gestanden. Und der Arme ist doch ein Genie ...

DER TRAGISCHE HERR. Der?!

JACOBOWSKY. Haben Sie nie gehört von Generalmusikdirek- 30 tor Siegfried Kamnitzer, Bückeburg?... Sie sollten ihn sehn,

wenn er Beethovens Neunte dirigiert: halb Napoleon auf der
Brücke von Arcole und halb der Heilige Dominikus von
Greco ... Ja, ja, die deutsche Musik, die herrliche ...

DER TRAGISCHE HERR (*auf den Tisch schlagend*). Fluch Beet-
5 hoven und Wagner! Fluch der deutschen Musik! Sie ist die
erhabene Artilleriebarrage, durch die unsre Seelen weichge-
klopft wurden für die wirklichen Panzerdivisionen!

JACOBOWSKY. Ich habe mehr gelitten als Sie ... Den Verstand
aber sollte man nicht verlieren ...

10 DER TRAGISCHE HERR (*mürrisch*). Und was suchen Sie in
diesem Nest, wo selbst der Ozean Provinz ist?

JACOBOWSKY. Ich weiß nicht. Irgendeine Art des Endes!

DER UNSTERBLICHE (*am Nebentisch in Zeitschriften blätternd*). Der Mensch kommt ohne Lächeln auf die Welt. Er
15 verläßt sie ohne Lächeln. Und dazwischen ...

JACOBOWSKY. Und dazwischen braucht er einen Paß —

DAS KLEINE MÄDCHEN. Darf ich Geld in die Musik werfen,
Papa?

WITWER. Da hast du fünf Sous, damit endlich Ruhe ist ...

20 (*Das kleine Mädchen läuft zum Automaten.*)

DER TRAGISCHE HERR. Haben Sie keinen Paß?

(*Während Jacobowsky spricht, versammeln sich neugierige
Gäste um ihn.*)

JACOBOWSKY. Oh, ich hatte in Bayonne für mich und Kam-
25 nitzer zwei kostbare Pässe eines exotischen Ländchens erworben. Einige Staaten aber liegen zwischen mir und meinem vermutlich reizenden neuen Vaterland. Um sie zu durchqueren,
bedürfen wir ihrer Visa, der Visa von Transitania Numero
Eins, Numero Zwei, Numero Drei ...

30 DAS KLEINE MÄDCHEN (*läuft jammernd an Jacobowskys
Tisch*). Ich kann nicht hinauf ... Ich bin zu klein ...

JACOBOWSKY. Das ist einer der wenigen Fälle, wo sich etwas

tun läßt ... (*Er hebt die Kleine zum Automaten hoch. Sie wirft das Geldstück ein. Das Werk rasselt heiser und schnappt plötzlich ab ohne zu funktionieren.*) Es läßt sich doch nichts tun ... So gehts heute mit all unsern Hoffnungen, ma petite ... (*Die Kleine läuft weinend zu ihrem Vater.*)

DIE GÄSTE (*währenddessen ungeduldig zu Jacobowsky*). Nun?! Was war mit Ihren Visa? Sagen Sie ...

JACOBOWSKY. Transitania Numero Eins, Numero Zwei, Numero Drei ... Kamnitzer könnte Ihnen das besser erzählen, mit seiner Phantasie ... Transitania Eins gibt die Erlaubnis zur Durchreise nur dann, wenn Transitania Drei und Zwei sie vorher erteilt haben. Ich schlug mich wie ein Löwe für mich und Kamnitzer. Doch immer, wenn ich das Visum eines Transitanias erkämpft hatte, wurden die andern für ungültig erklärt. Ein Karussell der Vergeblichkeit! Endlich gelang es mir durch eine Wundertat von Nummer Drei bis zu Nummer Eins vorzustoßen. Schon prangten alle Stempel auf unsern Pässen. Schon sah ich mich über der Grenze, da ...

DIE GÄSTE. Da wurde die Grenze gesperrt ... Wie?

JACOBOWSKY. Nein! Da wurde der Konsul Nummer Eins wahnsinnig. Er fand den Sommer 1940 zu kalt und die Arbeit zu übertrieben. So zündete er ein behagliches Feuer in seinem Kamin an und warf all unsere Pässe und Dokumente hinein. Und er rief: „Heil Hitler! Ich heize mit Menschen!" Und er hat mit Menschen geheizt. Denn was ist ein Mensch ohne Papiere? Nackter als ein Neugeborener, nein, nackter als ein Skelett unter der Erde! Wobei das Skelett den Vorzug hat, nicht mehr getötet werden zu können ... Nicht wahr, Kamnitzer?

DER TRAGISCHE HERR. Ihr Freund da hat keinen gesunden Schlaf, scheints ...

JACOBOWSKY (*stößt seinen Nachbarn, rüttelt ihn, endlich hebt*

er seinen Kopf auf, der haltlos nach hinten sinkt). Kamnitzer!... Hören Sie!... Kommen Sie zu sich!... *(Er nimmt
ein Fläschchen mit Tabletten vom Tisch, das halb geleert ist.)*
Ach so... Ist es das, Kamnitzer?... Sie waren ungeduldig...

5 DIE GÄSTE *(betreten).* Was ist geschehn?... Einer hat sich
umgebracht... Ein Musiker... Wegen der verbrannten
Pässe... Man sollte einen Arzt holen...

JACOBOWSKY *(über den Toten gebückt).* Man muß keinen
Arzt mehr holen...

10 CLAIRON. Was gibt es da... Wer macht mir wieder Ungele-
genheiten?... Hm, hm... Bitte ihn nicht anrühren...

WITWER *(der, wie alle andern, bis auf den Würfelspieler,
aufgestanden ist, preßt seine Kinder an sich).* Dreht euch nicht
um!... Nicht hinschauen, Kinder!

15 DER UNSTERBLICHE. Er hat wirklich die Züge des Genius...

JACOBOWSKY. Vielleicht hört er Musik... Er sieht so aus...
Kamnitzer, hoffentlich brauchen Sie dort keine Visa... *(Er
zieht aus seiner Brusttasche ein seidenes Tuch und bedeckt das
Gesicht des Toten.)*

20 *(Ein langer schriller Pfiff draußen.)*
DER TRAGISCHE HERR. Was bedeutet das?

CLAIRON *(zu Tode erschrocken, an der Tür).* Razzia!

DIE GÄSTE *(hysterisch zum Ausgang drängend).* Razzia!
Razzia... Die Camions!... Sie verhaften wieder Geiseln...

25 Vielleicht kommen wir noch fort... Clairon, die Rollbalken
herunter!

CLAIRON. Darf ich nicht...

EINZELNER AUFSCHREI. Sie erschießen Geiseln... Hinaus-
lassen!

30 *(Viele Gäste werfen sich gegen die Tür.)*
CLAIRON. Draußen ist es dasselbe...

(*Alles erstarrt. Plötzliche Totenstille. Man hört das ratternde
Vorfahren eines Lastautos. Das kleine Mädchen weint.*)

DER JUNGE. Wein nicht! Das ist doch sehr interessant!

JACOBOWSKY (*höflich in die tiefe Stille hinein zum Toten*).
Entschuldigen Sie, bitte! (*Er geht langsam durch die Tür*
„Dames" ab.)

DAS KLEINE MÄDCHEN (*immer lauter heulend*). Papa...
Papa...

(*Die Tür des Cafés wird aufgerissen. Eintritt der Commissaire Spécial de Police, ein dicker verlegener Mann mit*
schwitzender Glatze. Dicht hinter ihm der Gestapobeamte in
schwarzer Uniform, vormals der Tourist. Zwei SS-Männer
flankieren die Tür, zwei französische Polizisten leisten dem
Commissaire Hilfe.)

COMMISSAIRE. Ich bitte, kein Aufsehn zu machen und keinen
Widerstand zu leisten! Bewahren Sie Ihre Besonnenheit,
Messieurs-Dames, es hilft nichts, Sie müssen mit. Je schneller,
desto besser! Einer nach dem andern.

DIE GÄSTE (*indem sie von den Polizisten abgeführt werden*).
Was heißt das?... Ich hab doch nichts angestellt... Ich bin
hundert Prozent en règle... Ich bin Franzose und dies ist mein
Land...

COMMISSAIRE (*flüstert*). Was wollen Sie von mir? Ich bin unschuldig. Ich werde gezwungen...

CLAIRON (*zum Commissaire*). Ein Selbstmörder... Dort...

COMMISSAIRE (*zur Gestapo*). Ein Selbstmörder... Dort...

GESTAPO. Na, und?

COMMISSAIRE. Der Siebzehnte heute Nachmittag... Soll der
Fall untersucht werden?

GESTAPO. Nee! Wir haben tote Juden liebend gern... Lassen
Sie das dort hinausschaffen!

COMMISSAIRE. In den Camion mit den andern?

GESTAPO. Soll ich vielleicht Mercedes Compressor der Quab vorfahren lassen? (*Der Commissaire winkt. Der Tote wird schnell hinausgetragen.*) Weiter! Weiter!

5 COMMISSAIRE (*zum Witwer mit den Kindern*). Bitte, Monsieur! Halten Sie uns nicht auf!

WITWER. Meine Kinder sind sechs und acht Jahre alt ... Ihre Mutter ist gestorben. Wo soll ich meine Kinder lassen?

COMMISSAIRE (*zur Gestapo*). Er fragt wo er seine Kinder
10 lassen soll ...

GESTAPO. Werden ihm Kindergarten zur Verfügung stellen mit Planschbecken und Hutschepferdchen ... Weiter ... (*Vater und Kinder werden abgeführt.*) Na, wirds?! (*Er deutet auf den Würfelspieler, der völlig unbeteiligt weiterspielt und
15 trinkt.*)

COMMISSAIRE. Machen Sie mir keine Schwierigkeiten, Monsieur! (*Der Würfelspieler legt seinen Paß auf den Bartisch ohne vom Spiel aufzusehen. Commissaire zur Gestapo*) Eigenes Laissez passer der Waffenstillstandskommission in Wies-
20 baden ...

GESTAPO (*wirft einen Blick auf das Papier*). Donnerwetter! Danke sehr! Heil Hitler!

WÜRFELSPIELER (*gleichgültig*). Clairon, einen Pernod!

DER UNSTERBLICHE (*am Tisch sitzend, zum tragischen Herrn,
25 der dasteht, als wolle er dem Commissaire an die Gurgel springen*). Ruhe, mein Freund! Nehmen Sie sich an der Gelassenheit eines Historikers ein Beispiel!

COMMISSAIRE (*zum tragischen Herrn*). Wir kennen uns aus Paris, Monsieur ... Es tut mir leid ...

30 DER TRAGISCHE HERR (*zischt*). Leider kenne ich zu viele Verräter und politische Bettnässer!

COMMISSAIRE. Ich handle im Namen des Marschalls und muß die Herren bitten ...

DER UNSTERBLICHE. Commissaire! Sie kennen mich. Mein Bild ist allbekannt. Ich bin Mitglied der Académie.

GESTAPO. Was salbadert der Jubelgreis? Macht sich wohl 5 mausig ...

COMMISSAIRE. Er ist Mitglied der Académie Française ...

GESTAPO. Was ist das für ein Kegelklub? Umso schlimmer für ihn ...

DER UNSTERBLICHE. Herr Abetz und andere Spitzen des 10 deutschen Geisteslebens haben mir ihre Verehrung ausgedrückt ...

GESTAPO. Das alles kann der putzige Weihnachtsmann später der vorgesetzten Stelle vorquatschen ... Machen Sie ihm Beine! 15

DER TRAGISCHE HERR (*hohnlachend*). Soll ich mir noch immer ein Beispiel nehmen, cher maître?

COMMISSAIRE. Allons, Messieurs!

DER UNSTERBLICHE. Es sei denn! Machen Sie sich jedoch klar, daß Sie einen Unsterblichen verhaften! 20

GESTAPO. Was sagt er?

COMMISSAIRE. Er sagt, daß er unsterblich ist ...

GESTAPO. Na, vielleicht bekommt er noch Gelegenheit, das zu beweisen!

DER TRAGISCHE HERR (*während er mit dem Unsterblichen* 25 *hinausbefördert wird, zum Würfelspieler*). Haben Sie genug Fliegen gefressen, Sie ...

WÜRFELSPIELER (*mit höchstem Phlegma*). Warum gerade Fliegen?

DER TRAGISCHE HERR. Weil Sie eine Spinne sind! (*Spuckt aus* 30 *und fliegt mit einem Fußtritt aus der Tür.*)

COMMISSAIRE. Sie können bleiben, Clairon ...

GESTAPO. Werfen Sie noch einen Blick auf den Abtritt!

COMMISSAIRE (*öffnet die Tür „Messieurs"*). Niemand!

GESTAPO. Ist gut! (*Strammer Hitlergruß vor dem Würfel-*
5 *spieler. Dann ab mit Commissaire und Polizisten.*)

WÜRFELSPIELER. Sie kennen alle Leute hier, Clairon, Einhei-
mische und Réfugiés? Wie?

CLAIRON (*während er die Tür- und Fensterläden des Lokals
schließt*). Ich bin ein harmloser Bürger, Monsieur. Ich kenne
10 keine Einheimischen und keine Réfugiés. Ich habe nie einer
Partei angehört. Ich mische mich nicht in Politik. Ich habe diesen Krieg nicht gewollt ... (*Zündet zwei Kerzen an.*) Elek-
trisches Licht ist verboten wegen Verdunkelung ...

WÜRFELSPIELER. Möchten Sie den Mann auf der Damentoi-
15 lette nicht erlösen, Clairon?

CLAIRON (*seufzt auf*). Soll der den andern nachgeliefert
werden?

WÜRFELSPIELER (*lacht stumm, ohne einen Gesichtsmuskel
zu bewegen*). Glauben Sie wirklich, ich fange Fliegen wie
20 dieser subalterne Idiot von der Gestapo? In Wiesbaden interessiert man sich nicht für Fliegen ...

CLAIRON (*ruft in die gewisse Tür*). Kommen Sie heraus,
Herr ... Sie haben Glück ...

JACOBOWSKY (*hervortretend*). Nennen Sie nicht Glück, mein
25 Gönner, was das Resultat wissenschaftlicher Beobachtung und
Spekulation ist. Als Vielverfolgter hab ich herausgefunden, daß
männliche Wesen, selbst wenn sie der Polizei angehören, eine
unbewußte Scheu empfinden, die „Für Damen" reservierte
Örtlichkeit zu betreten. Diese neue psychologische Entdeckung
30 hat mir schon zweimal das Leben gerettet. (*Es wird draußen*

heftig geklopft.) Vielleicht sogar noch ein drittes Mal ... (*Zieht sich schnell zurück, von wo er gekommen.*)

CLAIRON (*an der Eingangstür, barsch*). Gesperrt!

FRAUENSTIMME (*draußen*). Sie können einen blinden Mann nicht fortweisen bei diesem Nebel! 5

CLAIRON. Ein blinder Mann kann auch im Nebel nicht besser sehn!

FRAUENSTIMME. Sprech ich mit Père Clairon? Wir sind hierher empfohlen.

CLAIRON (*wütend*). Niemand ist hierher empfohlen! Ich 10 weiß von nichts. Ich will mit nichts zu tun haben ... Scheren Sie sich fort!

WÜRFELSPIELER (*der sich das erstemal zu seiner vollen Höhe erhebt*). Sie werden öffnen, Clairon! Ein blinder Mann! Ich jage seit zwei Tagen nach einem blinden Mann ... 15

(*Es klopft noch heftiger.*)

CLAIRON (*ruft*). Warten Sie!

WÜRFELSPIELER. Kann ich in Ihre Küche gehn?

CLAIRON. Was wollen Sie in der Küche?

WÜRFELSPIELER. Mir einen Grog brauen nach eigenem Re- 20 zept! Haben Sie Arac?

CLAIRON. Nur deswegen, Monsieur ... ?

WÜRFELSPIELER. Dann möcht ich auch ein bißchen zusehn, ob der blinde Mann wirklich blind ist ... (*Geht in die Küche.*)

CLAIRON. Und das alles in meinem Café! (*Er öffnet die Tür* 25 *mit einem schweren Seufzer.*) Es wäre besser für Sie, nicht hereinzukommen! (*Marianne und Oberst Stjerbinsky treten ein. Marianne führt den Obersten am Arm, der eine schwarze Brille trägt und einen weißen Stock und ohne jedes mimische Talent den Blinden simuliert. Clairon stellt eine Kerze auf den* 30 *Tisch.*) In zwanzig Minuten beginnt Couvre de Feu ...

OBERST STJERBINSKY (*mit hohler Stimme*). Für mich ist immer Couvre de Feu ... Einen heißen Tee der Dame! Und mir Ihren ältesten Cognac. Dazu ein Wasserglas ...

(*Clairon geht mit einem herzzerbrechenden Seufzer in die Küche um die Bestellung auszuführen.*)

CLAIRON (*während er den Vorhang öffnet*). Er ist wirklich blind ...

OBERST STJERBINSKY. Sie sehen, alles Unsinn, kein Mensch in diesem Loch! Und wie soll ein Schiff der Alliierten liegen in einem Hafen, den die Boches besetzt haben? ... Unsinn, Unsinn ...

MARIANNE. Die Dame, die mir den Zettel zugesteckt hat, ist ...

OBERST STJERBINSKY (*unterbrechend*). Also was für eine Person? Ein Priester? Eine Frau? Ein Einarmiger?

MARIANNE. Vielleicht ein Einarmiger! Eine Person mit einem grauen Handschuh!

OBERST STJERBINSKY. Gerüchte! Nichts als Gerüchte! Gerüchte sind schlimmer als ein Angriff von Stukas ...

MARIANNE. Ich wundre mich über Sie, Tadeusz Boleslav ... So leicht geben Sie den Kampf auf ... Sie, ein Herr des Lebens?

OBERST STJERBINSKY. Das ist nicht Stjerbinskys Kampf! Das ist Jacobowskys Kampf! Jacobowsky ist der Herr dieses Lebens ...

MARIANNE (*in die Ferne starrend*). Jacobowsky ...

OBERST STJERBINSKY. Ich bin gesunken von Stufe zu Stufe. Zuerst verrückt! Jetzt blind! Und morgen vielleicht gelähmt! Meine Seele hat Schuppenflechte. Wenn der Concierge mich anschaut, schau ich weg! Wenn es klopft, erschrecke ich. Wenn die Nazis über den Platz marschieren, bekomm ich Herz-

klopfen: Ich! Ich! Ich bin angesteckt mit der Angst der Nie-
drigen und Verfolgten. Jacobowsky hat mich infiziert... Ich
hänge am Leben...

MARIANNE. Habe ich Ihnen nicht verboten, seinen Namen
immer wieder zu nennen?... Der Gedanke an ihn drückt mir 5
das Herz ab... Wo mag er sein?... Wir hätten ihn niemals...

OBERST STJERBINSKY. Der braucht uns nicht. Der ist längst
über die Grenze. Der sitzt in Lissabon. Der baut bereits an
seiner Existenz Nummer Sechs oder Sieben...

MARIANNE. Gebe es Gott!...   10

OBERST STJERBINSKY. Ich aber bin nicht einmal Jacobowsky.
Die Freiheitskämpfer haben gewählt den schlechtesten von
Pilsudskys Obersten. Ich bin kein Soldat mehr. Ich bin ein
nervöser Mensch... Ich habe die Lust verloren, zu kämpfen...

MARIANNE (aufflammend). Und ich, ich habe Lust bekom- 15
men, zu kämpfen. Ich möchte jedem dieser rundgeschorenen
Teufel an die Gurgel! Ich möchte Brücken sprengen und Geleise! Ich möchte schreien den ganzen Tag...

CLAIRON (kommt mit den Getränken). Man sollte leise
reden in dieser Zeit...   20

OBERST STJERBINSKY. Warum?... Es ist ja niemand hier...

CLAIRON. Bin ich niemand? (Ab.)

OBERST STJERBINSKY. Und das Schlimmste! Ich bin entwürdigt vor Ihnen, Marianne, in meiner Schwäche...

MARIANNE. Nichts kann hübscher sein als die Schwäche eines 25
starken Mannes...

OBERST STJERBINSKY. In Paris! Erinnern Sie sich? Wo ist der
Stjerbinsky hin von Paris?

MARIANNE. Wo ist die Marianne hin von Paris?

OBERST STJERBINSKY. Tränen? (Mißtrauisch) Weinen Sie 30
um Jacobowsky?

MARIANNE. Ich weine um Frankreich . . .

OBERST STJERBINSKY. Ich denke immer weniger an Polen. Sie denken immer mehr an Frankreich . . . Marianne! Schlimmer als das Schlimmste ist, daß ich Sie liebe. Es ist meine erste
5 Liebe! (*Stürzt nieder vor ihr und birgt den Kopf in ihrem Schoß.*) Ich hänge an Ihnen mehr mit Liebe als an meiner lieben Frau Mutter . . . Sie aber sollten mich verlassen! Denn ich kann Ihnen keinen Beweis geben meiner Liebe. Sie sollten zu Ihrer Schwester gehen nach Nîmes . . .

10 MARIANNE (*streichelt seinen Kopf*). Ich werde Sie nicht verlassen . . . Solange Sie mich brauchen . . .

OBERST STJERBINSKY (*hebt argwöhnisch den Kopf*). Nur so lang ich Sie brauche . . .

MARIANNE (*immer sein Haar streichelnd*). Ich bin mit Ihnen
15 auf diese Flucht gegangen wie auf eine frivole Reise. Jetzt habe ich erfahren, was alles mit uns Menschen geschehen kann . . . Früher haben Andre für mein Leben die Verantwortung getragen. Jetzt fühle ich mich verantwortlich für Ihr Leben . . . In Saint Cyrill war ich nur verliebt. Jetzt lieb ich Sie, Ta-
20 deusz . . .

OBERST STJERBINSKY (*aufspringend*). Und ich hab geglaubt, daß Sie mich verachten! Marianne . . . Wenn ich überlebe, Marianne (*er zieht sie hoch*), wollen Sie werden vor Gott und Menschen meine . . . (*Er schweigt plötzlich.*)

25 (*Der Würfelspieler ist in den Raum getreten, im Kerzenlicht einen langen Schatten werfend. Er hält die Hände in den Taschen.*)

WÜRFELSPIELER. Was hat Monsieur für einen Akzent . . . ? Es interessiert mich . . . (*Geht langsam auf Stjerbinsky zu, der
30 völlig erstarrt ist.*) Ohne Zweifel ein slawischer Akzent . . . Polnisch vielleicht? (*Oberst Stjerbinsky hebt langsam einen*

Revolver gegen die Brust des Gegners. Der Würfelspieler zieht ohne Eile die Hände aus den Taschen und hebt sie ein bißchen hoch. Die eine Hand ist grau behandschuht. Er dreht sich phlegmatisch nach Clairon um, der zwischen dem Küchenvorhang aufgetaucht ist.) Clairon! Das Wasser kocht. Bleiben 5 Sie draußen, bis es verdunstet ...

MARIANNE (*schreit leise auf*). Der Mann mit dem grauen Handschuh!

WÜRFELSPIELER. Der blinde Mann mit der schwarzen Brille ... (*Stjerbinsky läßt den Revolver sinken.*) Also, be- 10 sonders blind schauen Sie nicht aus, Oberst Stjerbinsky ...

OBERST STJERBINSKY. Wenn ich jetzt spreche, gebe ich Ihnen mein Leben ...

WÜRFELSPIELER. Ach so? Nehmen Sie meines zuerst! (*Geht mit Stjerbinsky nach vorn. Spricht rasch und trocken.*) Com- 15 mander Wright von Seiner Majestät Flotte! Wir haben einen Funkspruch aus London, der Sie betrifft. Auf einer unsrer kleinen Corvetten, die sich draußen in der Bucht verborgen hält, befinden sich schon elf englische, polnische, tschechische Offiziere, die ich pflichtgemäß in den letzten Tagen aufge- 20 spürt und an Bord gebracht habe. Nur mehr zwei Plätze waren noch übrig. Der andre Herr aber scheint leider in eine Falle gegangen zu sein. Ich kann nicht länger warten. Das Wetter ist verdammt günstig ...

OBERST STJERBINSKY. Ich bin nicht allein ... Mich begleitet ... 25

WÜRFELSPIELER. Ihre Frau! Die Reise wird für Madame kein Genuß werden ... Somit bin ich komplett. Brechen wir ab! Der Wirt ist zuverlässig, die französische Polizei aber hat mich gewarnt ... Um vier Uhr morgens pünktlich werden Sie an Môle de Nivelle stehn! Noch sind die Boches nicht völlig 30 etabliert. Der Nebel hilft. Und die französische Hafenwache auch ... Zu niemandem ein Wort! Sie und Ihre Frau! Wenn Ihnen Ihr Leben lieb ist ... (*Laut*) Clairon, l'addition!

CLAIRON (*kommt mit einem Zettel*). Ein Grog! Sechs Pernod! Drei Vermouth mit Bitter und ein Biskuit ...

5 OBERST STJERBINSKY (*murmelt bewundernd*). Sechs Pernod ...

(*Der Würfelspieler hat gezahlt. Clairon öffnet die Tür.*)

WÜRFELSPIELER. Bon soir ... (*Ab.*)

MARIANNE. Tadeusz! Gerettet!

10 OBERST STJERBINSKY (*wieder der Alte, reißt die Brille von den Augen und zertritt sie*). Ich bin nicht mehr blind ... Ich bin nicht mehr blind ... Stjerbinskys Glück!

MARIANNE (*zornig*). Sie sind blind und werden es bleiben ...

OBERST STJERBINSKY. Sie haben recht, Marianne ... Ich ver-
15 diene Stjerbinskys Glück nicht ... (*Schlägt ein feierliches Kreuz.*) Ich danke Ihnen, heilige Mutter Gottes von Czenstochau, die ich um meinen Hals trage, für diese große Gnade ... (*Er breitet die Arme aus.*) Und Ihnen, Marianne, meine Frau ...

20 WÜRFELSPIELER (*zurückkommend, reißt die Tür auf, ruft*). Clairon! Vergessen Sie den Mann nicht, der draußen sitzt ... (*Ab.*)

CLAIRON (*an die gewisse Tür klopfend*). Sie werden Ihr Schiff versäumen, Monsieur ...

25 JACOBOWSKY (*erscheint im Lichte seiner kombinierten Taschenlampe*). So ist der Mensch ... Ich habe auf dem Damenbrett friedlich geschlafen, als wär ich schon tot ... Glücklicher Kamnitzer ...

MARIANNE UND OBERST STJERBINSKY (*aus einem Mund*).
30 Jacobowsky!

JACOBOWSKY. Marianne! (*Pause tiefer Verwirrung*) Und ich

sehe Sie doch noch einmal! (*Versuch, heiter zu sein*) Seien Sie
nett, bitte, und wundern Sie sich ein bißchen, daß ich noch
lebe...

MARIANNE (*preßt seine Hände*). Um Himmelswillen! Sie
noch in Frankreich?! Oh, ich habs gefürchtet... Warum... 5

JACOBOWSKY. Warum? Ich habe mein Konto bei Gott über-
zogen. Fünfmal fliehen? Das ist zu viel für ein Leben!

MARIANNE. Auch Sie geben auf?... Wie der Oberst... Ist
wirklich kein Mann ein Mann?

JACOBOWSKY. Ich gebe nicht auf... Ich will nur alles tragen, 10
ohne zu zappeln... Ich habe etwas gesehn und erlebt vorhin...

MARIANNE. Ich habe einen Camion gesehn vorhin, auf dem
sie harmlose Menschen verschleppten! Ich habe erlebt, wie sie
aus meinem kleinen Hotel alle Juden herausholten und die
Eltern von den Kindern trennten! Meine Ohren gellen noch 15
von dem Jammer... Ginette hat Nachricht. Sie kommt hierher. Ginette ist die Energie und Schlauheit selbst. Sie wird Sie
über die Demarkationslinie der Deutschen ins Innere schmuggeln...

JACOBOWSKY. Naive Träume, Marianne... Für mich gibt es 20
nurmehr eine einzige Demarkationslinie, die ich zu überschreiten habe...

OBERST STJERBINSKY. Eine einzige?... Sie hatten doch immer zwei Möglichkeiten... Mir geht im Kopf herum die
Litanei...   25

JACOBOWSKY. Es ist keine Litanei, Colonel, sondern eine
Ballade. Die Schauerballade von der „Situation" eines frei-
mütigen und wohlwollenden Europäers im Sommermonat des
Jahres...

(*Der Musikautomat beginnt zu rasseln und mit dünnem* 30
Zirpen „La Paloma" zu spielen.)

OBERST STJERBINSKY. Was ist das?

JACOBOWSKY. Eines der kleineren Wunder! Ein Kind hat vorhin fünf Sous eingeworfen. Und der Automat hat sichs überlegt bis jetzt. Armes Kind ... Wollen Sie gnädigst meinen
5 Schwanengesang hören, Madame Marianne ... (*Verbeugt sich tief vor Marianne, legt die Hand aufs Herz und beginnt in der monotonen Art eines Wiegenliedes.*) Dies sind die zwei Möglichkeiten immer wieder des umherirrenden Jacobowsky. Entweder sperren die Franzosen besagten Jacobowsky ein, weil er
10 keine Papiere hat, oder sie liefern ihn den Nazis aus. Sperren die Franzosen ihn ein, das ist doch gut! Liefern sie ihn den Nazis aus, dann gibt es zwei Möglichkeiten. Entweder stecken die Nazis besagten Jacobowsky in das Schreckenslager von Gurs oder sie verschleppen ihn mit hunderttausend andern
15 nach Polen. Stecken sie ihn in das Schreckenslager von Gurs, das ist doch gut! Verschleppen sie ihn nach Polen, da gibt es zwei Möglichkeiten. Entweder bringen die Nazis besagten Jacobowsky schnell um oder sie quälen ihn langsam zu Tode. Bringen sie ihn schnell um, das ist doch gut. Quälen sie ihn
20 langsam zu Tode, da gibt es zwei Möglichkeiten. Entweder sie scharren ihn lebendig ein bis zum Kopf ...

MARIANNE (*hält sich die Ohren zu*). Genug! Still! Ich kann es nicht ertragen. Das wird nicht geschehn ... Tadeusz, es ist an Ihnen zu reden ...

25 OBERST STJERBINSKY (*mit geschlossenen Augen*). Schweigen Sie, Marianne! Etwas steigt in mir auf ...

JACOBOWSKY. Ich habs nicht gern, wenn etwas in Ihnen aufsteigt, Colonel ...

OBERST STJERBINSKY. Ihr Glaube ist doch falsch, Jacobow-
30 sky ...

JACOBOWSKY. Ich weiß schon ...

OBERST STJERBINSKY. Nichts wissen Sie! Sie glauben, man kann Gott und das Leben ausrechnen. Man kann's nicht...

JACOBOWSKY. Gott und sein Leben sind die Mathematik selbst! Nur wir sind schlechte Rechner!

OBERST STJERBINSKY. Falsch! (*Leise und tief*) Es gibt eine dritte Möglichkeit für Sie, Jacobowsky!

MARIANNE (*freudig*). Ja, Tadeusz, die gibt es! Und jetzt weiß ich, warum ich auf Sie gewartet habe in Saint Cyrill!

CLAIRON (*die Tür weit öffnend*). Couvre de Feu, Messieurs-Dames...

MARIANNE. Sehn Sie doch! Was für ein schwarzer Nebel!

(*Alle haben sich erhoben.*)

JACOBOWSKY (*mit zweifelnder Gebärde*). Wo gäbe es eine dritte Möglichkeit für mich?

OBERST STJERBINSKY (*zeigt hinaus*). Dort draußen im Nebel, Jacobowsky! In Gottes schwarzem Nebel! Kommen Sie... (*Zu Clairon, auf Jacobowsky zeigend*) Er zahlt...

DES DRITTEN AKTES
ZWEITER TEIL

Môle de Nivelle in Saint Jean-de-Luz

(Steindamm in der Nähe des alten Hafens. Am Ende des Dammes versendet eine blau angestrichene Bogenlampe, die hin und her schwankt, ihr seltsames Licht. Im weißlichen Nebel der späten Nacht nimmt man die Silhouetten verfallener
5 *Speicherhäuser und die Masten von Fischerbarken wahr. Manchmal entschleiert sich ein Halbmond im zerreißenden Nebeldampf. Rhythmisches Anschlagen der Brandung gegen den Granit. — Jacobowsky und Szabuniewicz sitzen auf einer Landungstreppe, die tief in den Damm eingeschnitten ist und*
10 *gute Gelegenheit zum Versteck bietet.)*

JACOBOWSKY. Und Sie wissen wirklich nicht, Szabuniewicz, warum Sie seit einer Stunde schon hier sitzen...

SZABUNIEWICZ. Befehl ist Befehl... Ich denk nicht nach darüber...

15 JACOBOWSKY. Aber ich denk nach... Man sagt mir „Vier Uhr früh, Môle de Nivelle!" Schluß! Es ist Couvre de Feu. Wer auf der Straße erwischt wird, na... Und ich sträflicher Optimist falle dem Narren wieder herein und riskiere mein Leben auf Indianerpfaden hierher... Wer mir das vor vier-
20 zehn Tagen gesagt hätte!

SZABUNIEWICZ. Warum haben Sie uns mitgenommen, der Herr, von Paris?...

JACOBOWSKY. Die Frage hat Hand und Fuß! Zur Erklärung unsrer unerklärlichen Eseleien bemühen wir meist die Prädestination... Was wollen Sie mit dieser Hutschachtel und Handtasche?

SZABUNIEWICZ. Das ist unser ganzes Gepäck. Mehr haben wir nicht...

JACOBOWSKY. Unser?

SZABUNIEWICZ. Ich bin jetzt Eigentum von Madame... Der Oberst hat gesagt vorgestern, weil er erniedrigt ist, gebührt ihm kein Kastellan mehr...

JACOBOWSKY. Und Madame hat Sie angenommen?

SZABUNIEWICZ. Mag sein... Der Oberst hat nichts mehr als seine Geige...

JACOBOWSKY. Sie sind doch kein dummer Mensch, Szabuniewicz... Haben Sie niemals Sorge, was mit Ihnen geschehen wird...?

SZABUNIEWICZ. Das ist der Vorteil, der Herr, wenn man ein geborenes Eigentum ist... Andre sorgen...

JACOBOWSKY. Was seh ich? Coco! Coco bei Ihnen...

SZABUNIEWICZ. Ich muß ihn jetzt pflegen, obwohl mir das Hündlein die Existenz vergällt... Schnauf nicht, fette Bestie!

JACOBOWSKY. Coco nicht bei Madame! Das ist ein böses Omen! Und das Meer ist leer wie am dritten Schöpfungstag...

SZABUNIEWICZ. Der Oberst hat von einem kleinen Motorboot gesprochen, das heimlich bei San Sebastian landen könnte...

JACOBOWSKY. Der Genieblitz eines Reiterhirns! Schon bei der Landung fängt der nächste spanische Gendarm Stjerbinsky ab und Franco überstellt ihn gratis und franco den Nazis an der Grenze...

SzABUNIEWICZ. Also dann wird vielleicht nach England geschwommen oder Amerika...

JACOBOWSKY. Ich kann nicht schwimmen... In meiner Familie wurde leider das körperliche Training zugunsten einer
5 völlig nutzlosen Intelligenz mißachtet... (*Er schließt müde die Augen.*)

(*Stille und Brandung. — Marianne und Oberst Stjerbinsky kommen in flüsterndem Gespräch.*)

OBERST STJERBINSKY (*leidenschaftlich*). Dieses „Ja" haben Sie
10 mir noch immer nicht gesagt...

MARIANNE. Ich habe Ihnen hundert „Ja" gesagt...

OBERST STJERBINSKY. Hundert aber nicht dieses!

MARIANNE. Vor solch einem gefährlichen Abenteuer soll man praktisch sein und nicht feierlich... Haben Sie meinen Mantel
15 nicht liegen lassen, chéri, und die Handschuhe... Nein! Sie sind wirklich sehr verändert...

OBERST STJERBINSKY. Ich bin sehr ungeduldig in meiner Liebe. Wissen Sie, daß jeder Schiffskapitän das Recht hat, ein Paar zu trauen?...

20 MARIANNE. Das weiß ich nur aus dummen Filmen. Für einen guten Katholiken ist die Ehe ein heiliges Sakrament...

OBERST STJERBINSKY. Das ist wahr. Aber was soll ich tun? Ich bin monogam geworden wie ein Wellensittich. Früher haben mich die Frauen belästigt mit ihrem Immer und Ewig!
25 Jetzt quäle ich Sie: Marianne, Immer und Ewig! Ja?... Ich bin doch ein ganz neuer Stjerbinsky...

MARIANNE. Woran erkenn ich den, mein Liebling?

OBERST STJERBINSKY. Daß er glüht, Ihnen zu beweisen seine Liebe durch Opfer und durch was weiß ich... (*Ruft halblaut.*)
30 He, Szabuniewicz, wo bist du?

SZABUNIEWICZ. Hier!

OBERST STJERBINSKY. Ist Jacobowsky gekommen?

JACOBOWSKY (*ohne sich zu rühren*). Wartet! Wartet auf die dritte Möglichkeit, die es nicht gibt ...

OBERST STJERBINSKY. Wo ist er? Woher kommt diese Stimme eines Ertrunkenen?... (*Hängt Marianne den Mantel um.*) Knöpfen Sie Ihren Mantel zu, Geliebte. Die Nacht wird immer kälter ... (*Vier blecherne Schläge einer Kirchenuhr*) Es ist Vier!

WÜRFELSPIELER (*unversehens aus dem Nebel tauchend*). Die Uhr geht falsch ... Es ist erst drei Uhr sechsundfünfzig west-europäischer Zeit ...

OBERST STJERBINSKY. Diese Genauigkeit spricht sehr für eine günstige Zukunft der britischen Flotte.

WÜRFELSPIELER. Danke ergebenst für diese wohlwollenden Auspizien! Sie hingegen scheinen es mit Zahlen und Ziffern nicht so genau zu nehmen, Oberst Stjerbinsky! Ich habe mich mit zwei Menschen verabredet und nicht mit vier! Hatten Sie nicht den Auftrag, den Mund zu halten?

MARIANNE. Der Oberst hat das Geheimnis streng bewahrt, Monsieur!

WÜRFELSPIELER. Wissen Sie, daß in diesem Augenblick die Gestapo vermutlich mein Hotelzimmer aufbricht?! Wir laufen ein Rennen mit dem Blitz! Und Sie haben den reizenden Einfall, sich eine Abschiedsgesellschaft auf den Pier einzuladen ...

OBERST STJERBINSKY (*Szabuniewicz vorschiebend*). Dies hier, Sir, ist Szabuniewicz, der Pole! Mein Vertrauensmann! Er ist völlig „en règle", er lebt seit Jahren in Frankreich, er ist ungefährdet. Er wird hierbleiben. Im Namen Polens ernenne ich ihn zum Horchposten der Freiheit! Als geprüfter Irrenwärter hat er nämlich Zutritt zu den ersten politischen Kreisen ...

WÜRFELSPIELER. Mich interessiert der Polizeibericht über Ihre Vertrauensmänner nicht besonders...

OBERST STJERBINSKY. Ich bin noch nicht fertig, Sir! Wir reisen nämlich nicht zu zweit, sondern zu dritt! Dies hier ist
5 ein gewisser Herr Jacobowsky. Er begleitet uns nach England...

WÜRFELSPIELER. Meine herzlichen Glückwünsche! Darf ich mir erlauben, mit einiger Spannung zu fragen, auf welchem Schiff der gewisse Herr Jacobowsky Sie nach England be-
10 gleitet?

OBERST STJERBINSKY. Auf dem Ihrigen, Commander Wright!

WÜRFELSPIELER. Welch eine liebe Überraschung für mich! Ich sehe mit Erheiterung, daß ich zum Agenten der Firma Cook avanciert bin und meinen Kopf riskiere, um eine char-
15 mante Vergnügungsreise zu veranstalten...

MARIANNE. Es ist doch nur eines wichtig, daß ein wertvoller Mensch mehr gerettet wird, Monsieur...

WÜRFELSPIELER. Nehmen Sie gefälligst zur Kenntnis, was wichtig ist! Wir retten aus dem Zusammenbruch englische
20 Untertanen und alliierte Offiziere und niemand sonst. Nur bei den diversen Damen der Herren drücken wir möglichst ein Auge zu. Wir tun das nicht aus Menschlichkeit, sondern aus kalter Überlegung, denn in diesem Kriege, zu dem wir so wenig gerüstet sind, ist jeder erprobte Berufsoffizier von höch-
25 ster Notwendigkeit. Wir können auch sehr grausam sein, wenn es sein muß. Bei einer der letzten Einschiffungen haben wir weinende Mütter und Kinder von Bord gejagt... Ihnen, Colonel, stehen zwei Plätze zur Verfügung!

OBERST STJERBINSKY. Was bedeuten Plätze auf einem Schiff?
30   WÜRFELSPIELER. Man hat Sie mir so genau beschrieben, Herr, wie Sie zu sein scheinen...

OBERST STJERBINSKY. Dann wissen Sie auch, was am Brük-
kenkopf von Péronne geschehen ist! Von der Schlacht um
Frankreich geriet ich in die Flucht von Frankreich. Ich habe
nichts schlimmeres erlebt als diese zivilistische Flucht. Denn sie
entehrt unsre Seele! Herr Jacobowsky hier hat während dieser 5
Flucht niemals versagt. Er hat mir sogar durch seine findige
Geistesart das Leben gerettet. Urteilen Sie selbst, Sir! Darf ein
Soldat von ritterlicher Tradition darüber hinweggehn?!

WÜRFELSPIELER. Das Problem verstehe ich. Es ist aber nicht
meines! 10

OBERST STJERBINSKY. Das Problem verstehn Sie nicht. Ich be-
trachte Herrn Jacobowsky genau wie einen Kameraden, der
neben mir im Kampf stand an der Somme ...

WÜRFELSPIELER. Auch das versteh ich. Es ändert aber nicht
das geringste ... 15

OBERST STJERBINSKY. Sie verstehn noch immer nicht, Commander Wright ...

JACOBOWSKY (*zwischen Beide tretend*). Jetzt aber fallen Sie
aus der Rolle, Colonel! Wir sind Gegensätze! Nicht wahr?
Und Gegensätze müssen sich aufheben! Nicht wahr?! Ich habe 20
manches von Ihnen gelernt. Ich liebe das Leben noch immer,
doch ich hänge nicht mehr daran ... Dank also für Ihre er-
staunliche Intervention. Aber ich möchte jetzt gehn ...

WÜRFELSPIELER (*auf seine Armbanduhr blickend*). Sie täten
gut daran! Wer weiß, wer schneller ist, die Nazis oder mein 25
Boot ...

JACOBOWSKY. Wir haben schon einmal Abschied genommen,
Madame, bei Donner und Blitz. Ersparen Sie mir den zweiten!
In mir ist eine Ruhe, eine tiefe Ruhe, die Sie nicht begreifen
könnten! Ich pirsche mich jetzt in mein Quartier. Vielleicht 30
hab ich noch ein paar Tage Schonzeit. Es gibt drei Kinos hier,

dort ist man gut verborgen. Dort kann ich darüber nach-
denken, welch ein Haupttreffer es heute ist, allein zu stehn in
der Welt ... Adieu! (*Wendet sich zum Gehn.*)

MARIANNE (*hält ihn fest*). Nein, Jacobowsky! Sie bleiben!

5 JACOBOWSKY (*sich losreißend*). Lassen Sie mich fort!

MARIANNE. Ich lasse Sie nicht fort! (*Der Würfelspieler geht
ans Ende des Damms und gibt mit seiner abgeblendeten Taschenlampe zwei kurze Lichtsignale.*) Tadeusz Boleslav! Sie
fordern Antwort auf Ihre Frage. Hier ist sie: Ja! Ich bin Ihre
10 Frau und werde es sein, immer und ewig, denn ich habe meine
Liebe geprüft ...

OBERST STJERBINSKY. Dieses Ja ist so groß für meine Seele,
daß ich erbebe ... (*Auf den Würfelspieler zeigend*) Kann er
uns gleich trauen?

15 MARIANNE. Nein ...

OBERST STJERBINSKY. Dann ist unser erster Weg in England ...

MARIANNE. Nicht in England, mein Geliebter, sondern in
Frankreich! Wenn Sie zurückkehren als Befreier mit den Be-
20 freiern, dann wird unser erster Weg in die Kirche sein ... Ich
habe meine Liebe geprüft. Jetzt prüfe ich die Ihre. Hab ich
mir nicht das Recht dazu erworben von Saint Cyrill nach
Saint Jean-de-Luz? (*Oberst Stjerbinsky senkt schweigend den
Kopf.*) Hier stehe ich am äußersten Ende Frankreichs und
25 kann mich nicht losreißen. In meinem Rücken spür ich das
schreckliche Schweigen der Zertretenen. Ich habe das Leiden
zuhause. Ich kann das Leiden nicht verlassen jetzt.

OBERST STJERBINSKY. Sie opfern sich auf für Frankreich ...

MARIANNE. Nein, Tadeusz, ich will nur Größeres von Ihnen
30 und von mir! Ich kann nicht mit dem Mann gehn. Der Mann
muß kommen um mich! ... Sie werden in wenigen Tagen an

der Front sein irgendwo. Soll ich in der Fremde in einem Hotelzimmer sitzen vor Ihrem Bild und nichts tun? Ich will etwas
tun, Tadeusz... Sie werden für meine Sehnsucht der Preis
dieses Kampfs sein. Und ich werde nicht für Sie das Weib sein,
das täglich mehr zur Last wird im Exil... (*Oberst Stjerbinsky* 5
schweigt.) Vor diesen Zeugen gebe ich Ihnen meinen Ring...
Tragen Sie ihn am kleinen Finger... Nun? Wollen Sie mir
nicht Ihren Ring geben?... (*Oberst Stjerbinsky zieht langsam
seinen Ring vom Finger und gibt ihn Marianne.*) Ich werde ihn
am Mittelfinger tragen bis zum Tod... Und jetzt sagen Sie, 10
daß Sie an mich glauben! Tadeusz...

OBERST STJERBINSKY (*zieht nach einem langen Schweigen
Marianne an sich*). Meine schwermütige Seele hat das Opfer
gebracht. Ich glaube an Sie...

WÜRFELSPIELER (*schüttelt den Kopf*). Ein Treuschwur für 15
die Ewigkeit... Und wir können ausgehoben werden in der
nächsten Minute...

JACOBOWSKY (*mit trauriger Stimme*). Der Irrende Ritter soll
den Drachen töten und die Prinzessin befreien... Haben Sie
mich aufgehalten, Marianne, damit ich wieder einmal Zeuge 20
bin eines Grimmschen Märchens?

MARIANNE (*zum Würfelspieler*). Wie Sie sehen, Sir, der
zweite Platz ist leer...

WÜRFELSPIELER. Er wird leer bleiben...

OBERST STJERBINSKY. Als Pole erblicke ich in dem Wunsch 25
meiner Herrin einen strikten Befehl. Ich habe den Befehl, den
Mann nach England zu bringen...

WÜRFELSPIELER. Bedauerlicherweise habe ich keinen solchen
Befehl...

OBERST STJERBINSKY (*verkniffen*). Wo bleibt Ihr Boot, Sir? 30
WÜRFELSPIELER. Schwerer Seegang heute!

OBERST STJERBINSKY (*leise, heiser*). Umso besser! Da kann niemand schwimmen! Und Ihren Leuten sagen wir, daß die Gestapo Sie erwischt hat ... (*Springt ihm jäh an die Gurgel.*)

MARIANNE. Tadeusz ...

5 SZABUNIEWICZ (*wirft sich dazwischen, keucht*). Mein Wohltäter! Fangen Sie nicht wieder an ...

WÜRFELSPIELER (*der elegant ausgewichen ist*). Sie können Ihrem Horchposten der Freiheit dankbar sein ... (*Hält ihm einen Schlagring unter die Nase.*) Wenn ich mit den alliierten
10 Nationen zu tun habe, pflege ich mich vorzusehen ...

MARIANNE (*lauschend*). Was ist das? ... Jesus Maria ...

(*Man hört in demselben Augenblick die preußische Pfeif- und Trommelmusik einer marschierenden Abteilung sich nähern.*)

15 WÜRFELSPIELER (*scharf flüsternd*). Fort vom Licht! ... Auseinander! ... Niederducken! (*Alle verschwinden auf den Landungsstufen, bis auf Jacobowsky.*) Wenn die Boches zu dieser Stunde mit Musik marschieren, dann hat es den Tod zu bedeuten, dann schüchtern sie die Franzosen in ihren Betten
20 ein, dann schwärmt die Gestapo aus ... Sie suchen mich ...

OBERST STJERBINSKY. Wenn sie kommen, die Mappe ins Wasser, Szabuniewicz!

(*Musik und Marschtritt im Nebligunsichtbaren näher und näher. Jetzt sind sie auf der parallelen Hafenstraße. Das alte
25 Pflaster knallt von den Soldatenstiefeln. Jeden Augenblick meint man, das tödliche Haltkommando vernehmen zu müssen. Und jetzt erschallt es wirklich: „Halt!" Und dann: „Lautsprecher vor!"*)

LAUTSPRECHER (*mit schnarrender Stimme*). In der Umge-
30 bung von Saint Jean-de-Luz ist ein niederträchtiger Sabo-

tageakt verübt worden. Da dieses Verbrechen erwiesenermaßen von Juden und Kommunisten ausgeht, haben sich alle
ausländischen Nichtarier des Départements unverzüglich im
Hofe der Kommandantur zu versammeln. Zuwiderhandelnde
werden aufgegriffen und ohne Verhör erschossen.   5

(*Wiederum ein kurzes Kommando, Musik und Marschtritt.
Die Truppe stampft weiter, entfernt sich, verhallt. Nur die
spitzen Pfeifen und scharfen Trommeln werden als Echo vom
alten Gemäuer noch lange zurückgeworfen.* — *Marianne und
Würfelspieler tauchen als erste auf.*)   10

JACOBOWSKY (*mit äußerster Ruhe*). Sie suchen mich ...

MARIANNE (*dicht vor dem Würfelspieler*). Sie haben es gehört, Monsieur. Dieser Mann Jacobowsky hat keinen andern
Platz mehr auf der Welt als den schmalen Damm hier, und den
nur solange bis die Sonne aufgeht. Zehn Schritte vorwärts: 15
das Meer! Zehn Schritte zurück: der Tod, und was für einer!
Die Nazis haben ihm Ausrottung geschworen und die halten
ihren Schwur ... Warum kämpft England um Gerechtigkeit, wenn es das erste und älteste Opfer dem Drachen hin-
wirft?   20

WÜRFELSPIELER. England kämpft um sein Leben. Frankreich
hat das leider versäumt!

MARIANNE. Frankreich wird solange leben, Monsieur, als es
ein Herz hat, das schlägt.

OBERST STJERBINSKY (*die Mappe in der Hand*). Sie sind 25
eisern, Wright, und ich bin eisern! Aber es kommt nicht darauf
an, daß ich lebe. Meine Profession ist ja: Sterben! Es kommt
nur darauf an, daß diese Dokumente sicher nach London gelangen. Übergeben Sie die Mappe also dem General Sikorsky
persönlich und sagen Sie ihm, Tadeusz Boleslav Stjerbinsky ist 30

geblieben in Frankreich... Kommen Sie, Jacobowsky! Ich
bringe Sie in die Stadt!

JACOBOWSKY (*faßt Stjerbinskys Hand*). Mein Freund und
Gegensatz! Ich weiß, daß Sie es ernst meinen. All Ihre bunten
5 Gedankensprünge meinen Sie immer ernst. Sie sind zwar ein
recht unmoderner Offizier, aber wir brauchen Ihre Tapferkeit
für unsre Sache, wir brauchen sie verzweifelt. Deshalb gehe ich
nicht mit Ihnen in die Stadt... Nicht wahr, das ist eine kleine
Beruhigung für Sie, Mr. Wright! Haben Sie etwas gesagt?

10 WÜRFELSPIELER. Nein!

JACOBOWSKY (*das Echo der Marschmusik etwas lauter*). Ja,
Marianne, die Jacobowskys sollen ausgerottet werden unter
dem offenen oder versteckten Beifall der Welt! Sie werden
nicht ausgerottet werden, wenn auch Millionen sterben. Gott
15 straft uns. Er wird wissen, warum. Er straft uns durch Un-
würdige, die uns stärken, indem sie uns schwächen. Und dann
vernichtet er sie voll Ekel immer wieder... Wissen Sie, daß
der Ewige Jude und der Heilige Franziskus auf dem Wege
nach Amerika sind? Ich aber... Kommen Sie näher zu mir,
20 Tadeusz und Madame... (*Beide treten ganz nahe zu ihm.*)
Zwischen einem Leben, das schlimmer ist als Tod, und einem
Tod, der schlimmer ist als dieses Leben, flieg ich davon durch
das kleine Loch, das Gott uns immer offen läßt... (*Er hebt
zwei Fläschchen mit Pillen hoch.*) Was ist das?

25 MARIANNE. Jacobowsky, geben Sie mirs!

JACOBOWSKY (*sehr laut*). Eine Elfengabe! Zwei Fläschchen!
In dem einen ist Heilung! In dem andern Vernichtung! Das
eine werde ich ins Meer werfen, das andre zu mir nehmen!

(*Der Würfelspieler läßt seine Taschenlampe lange auf-
30 leuchten.*)

MARIANNE. Jacobowsky, solange ich...

JACOBOWSKY. Gerade um diese Gunst wollte ich Sie bitten, Marianne ... Bleiben Sie bei mir solange, bis es gewirkt hat!

WÜRFELSPIELER. Cheerio, Jim! Righto, Bill! Es ist mir nicht unangenehm, daß ihr endlich kommt! (*Das Boot ist da. Zwei salutierende Ruder werden sichtbar ... Würfelspieler scharf zu* 5 *Jacobowsky:*) Welches von diesen Fläschchen werden Sie ins Meer werfen, Mister Jacobowsky?

JACOBOWSKY (*sieht den Würfelspieler mit einem raschen durchforschenden Blick an*). Dieses! (*Er schleudert eins der Fläschchen mit entschlossenem Schwung ins Wasser.*)   10

WÜRFELSPIELER. Und was war drin?

JACOBOWSKY. Das Gift!

WÜRFELSPIELER. Sie haben gewonnen! Steigen Sie ein!

JACOBOWSKY. Wer? Ich?

WÜRFELSPIELER. Ja, Sie! Nicht die Argumente Ihrer Freunde 15 haben mich überzeugt. Sie selbst haben mich überzeugt! Ihre Entschlußkraft und Ihr Lebensmut, Sie Ulysses! Und Sie wissen, was der Andre denkt, noch ehe er's selbst weiß ... England kann Sie verwenden.

JACOBOWSKY (*bedeckt die Augen mit den Händen*). Das ist 20 zu viel für einen nervösen Menschen ... (*Faßt sich schnell, zeigt das andre Fläschchen.*) Also da r u m hab ich gestern diese Pillen gegen Seekrankheit einem Réfugié abgekauft, damit er eine Kleinigkeit verdient ...

OBERST STJERBINSKY (*hohnlachend wie früher*). Echt Jaco- 25 bowsky! Wieso wußten Sie ...

JACOBOWSKY (*bescheiden*). Inspiration ist alles.

SZABUNIEWICZ (*meckernd*). Ein Optimist ...

OBERST STJERBINSKY (*schlägt Jacobowsky auf die Schulter*). Freuen Sie sich nicht zu sehr, Jacobowsky ... Unser Duell ist 30 nur aufgeschoben ...

JACOBOWSKY. Unser Duell ist ewig, Stjerbinsky ...

WÜRFELSPIELER. Jede Minute ist wichtig jetzt ... Es wird schon grau ...

OBERST STJERBINSKY (*Marianne in seinen Armen*). Marianne, meine Frau! Ich hab gebracht den Beweis meiner Liebe! Jetzt geben Sie mir ein Wort, das mich noch stärker macht!

MARIANNE. Ich werde warten, Tadeusz, ich werde noch einmal warten, wie keine Frau je gewartet hat. Und ich werde nicht ruhen, und werde arbeiten und einen großen Empfang vorbereiten durch das ganze Land. Und wenn eines Morgens, wie jetzt, die Divisionen an allen Küsten landen und vorwärtsstürmen gegen Paris, dann werd ich aufschreien: Er ist darunter, Er ist gekommen für mich. Der Sieger! Mein Mann! ... Ich, ich glaube an Sie!

WÜRFELSPIELER (*reißt Stjerbinsky von Marianne weg*). Wollen Sie gütigst die große Oper abbrechen. Vielleicht lauscht schon die Gestapo mit Vergnügen ... Vorwärts, und ohne Abschied! (*Er drängt Stjerbinsky und Jacobowsky zum unsichtbaren Boot hinab.*)

SZABUNIEWICZ. Mein Vater und Wohltäter ... (*Er zieht seine Mundharmonika hervor und beginnt sehr schwach eine polnische Weise zu quäken.*)

(*Marianne ist auf die Spitze der Mole getreten. Sie steht schattenhaft da mit flatterndem Haar und Mantel im wachsenden Morgenlicht.*)

MARIANNE (*flüstert*). Komm wieder ... Komm bald ... Ich werde warten ... Ich werde arbeiten für den Tag des Empfangs ... (*Mit einem plötzlichen Tränenlächeln der Erinnerung*) Und neugierig sein, so neugierig ...

OBERST STJERBINSKYS STIMME. Ich komme wieder ...

JACOBOWSKYS STIMME. Madame la France... Adieu et au revoir.

(*Szabuniewicz wechselt unbeholfen und ziemlich falsch aus dem polnischen Lied in die Marseillaise.*)

MARIANNE (*regungslos, den Blick in die Ferne*). Um Himmelswillen, leise, Szabuniewicz, nur leise...

ENDE DER KOMÖDIE

NOTES

Page 2. Personen der Komödie: All necessary explanations concerning the characters will be made as each one appears.

Page 5. Hotel Mon Repos et de la Rose: a fictitious name, ironically parodying the romantic names of third-rate French hotels. It might be roughly translated as 'Rest for Me and for the Rose.'

Line 12. **Deus ex machina** (Latin): 'god from the machine'; a standard device of the Greek theater for producing supernatural effects.

Page 6, line 1. **Reynaud:** the last prime minister of France before the defeat in 1940. **La situation est grave** etc. (Fr.): The translation into German is given in the following sentence.

Line 3. **Somme:** For all geographical names throughout the play the student is advised to consult the map inside the front cover.

Line 22. **Léon Blum:** a Socialist prime minister of France in the years immediately preceding the war. He was responsible for much liberal prolabor legislation.

Line 25. **Lycée** (Fr.): French secondary school, equivalent to high school and junior college.

Line 31. **Bahnhof Saint Lazare:** a railroad station in the northern part of Paris.

Page 7, line 2. **Boches** (Fr.): a derogatory name for Germans. The origin of the word is obscure.

Line 19. **Abri** (Fr.): 'air-raid shelter.'

Line 22. **Chef d'Ilot** (Fr.): 'block warden.'

Line 25. **Alerte** (Fr.): 'air-raid alarm.'

143

Page 8, line 7. **Concierge** (Fr.): 'porter.'

Page 9, line 3. **Boulevardiers** (Fr.): gentlemen of leisure who spend much of their time strolling on the boulevards; a typically Parisian figure.

Line 4. **Quai Voltaire:** a street in Paris on the left bank of the Seine, noted for its second-hand stores and book-shops.

Line 13. **ma petite** (Fr.): 'my little one.'

Line 19. **Maginot-Linie:** a famous line of fortifications extending from Switzerland to the Belgian frontier. The Germans by-passed it through Belgium and eventually attacked it from the rear.

Line 30. **Vielleicht hat der Herr** etc.: Szabuniewicz, as a Pole, does not speak correct German. Note the wrong position of the word *gesagt*.

Page 10, line 23. **Defaitismus:** 'defeatism'; a neologism in the German language since World War I. It came originally from the French but was then given a Latin ending.

Line 29. **Galieni:** The reference is to the First Battle of the Marne in World War I, late in August, 1914.

Page 11, line 6. **Chevalier** (Maurice): a popular cabaret singer. After several years in America he returned to France about 1934 and remained in Paris after the occupation.

Line 8. **Gigolo:** 'crooner'; the word really means a professional dancer.

Page 12, line 3. **erkoren:** 'chosen'; past participle of an obsolete verb, *erküren*.

Line 11. **échauffieren:** 'exert'; originally from the French, the word means to get heated. It has still not been completely accepted in German.

Line 30. **Nicht die Bohne** (slang): 'Not in the least.'

Page 13, line 5. **Krupp oder Skoda:** famous munitions plants, the former in the Ruhr district of Germany, the latter in Bohemia.

Line 15. **Marrons glacés** (Fr.): 'candied chestnuts'; a typical Parisian delicacy.

Page 14, line 8. **Ich bin so frei:** 'I don't mind if I do'; a polite phrase when accepting something offered, about as meaningless as its English equivalent.

Line 31. **meine Wenigkeit:** 'my humble self'; a somewhat archaic circumlocution for 'I.'

Page 15, line 6. **Schwarze Hundert:** a secret, reactionary, terrorist organization in Czarist Russia, noted for its cruelty.

Line 13. **Braune Millionen:** The members of the National Socialist Party in Germany wore brown shirts from the beginning of the movement on.

Page 16, line 4. **Routine:** 'practice'; like the English 'routine,' it comes from the French.

Line 21. **Dimitrinos:** a brand of expensive Greek cigarettes very popular in Europe.

Page 17, line 18. **Darauf steht nicht Dachau:** 'The punishment for that is not Dachau.' Dachau is the most notorious of Nazi concentration camps.

Page 18, line 10. **am vierzehnten Juli:** the French national holiday, commemorating the fall of the Bastille in 1789.

Line 20. **Gringoire:** a Parisian weekly newspaper with strong reactionary leanings. It was the mouthpiece for the politicians who later became fascist collaborators.

Line 28. **Marseillaise:** the French national anthem. The middle phrase, played on chimes, was formerly the identification sign of the Paris radio.

Page 19, line 1. **Aux armes, citoyens** etc. (Fr.): 'To arms, citizens, form your battalions.'

Line 14. **Bis auf:** 'With the exception of.'

Line 22. **zusammen beide:** Note that the Colonel, like Szabunie-wicz, does not speak perfect German. In both cases the chief difficulty is with the word order.

Line 25. **habtacht:** 'at attention'; a technical term in the Austrian, rather than the German, army.

Line 28. **Bataille de France** (Fr.): 'battle of France.'

Page 20, line 1. **Gestiefelt und gespornt:** 'In full kit'; literally, 'booted and spurred.'

Line 23. **Mann:** In military parlance the word is regularly used in the singular form with numerals, no matter how large. See also page 94, line 22.

Line 25. **Stukas:** 'dive bombers'; the word is a contraction of Stu*rzkampfflieger.*

Page 21, line 8. **Sauf Conduit** (Fr.): 'safe conduct'; a certificate issued by the French police to foreigners during the war, permitting the holder to travel to another part of France.

Page 22, line 10. **Code:** 'code'; borrowed from English and used only as a technical term.

Line 15. **Erschtens:** mispronunciation of *erstens.*

Line 19. **Schwein:** 'luck'; literally, of course, 'pig.' The pig is a good-luck symbol in most European countries; in German slang *Schwein* is synonymous with *Glück.*

Line 24. **Königsberger:** Königsberg is situated in far East Prussia; the fact that the Colonel made his way from there all the way across Germany to France is further evidence of his dare-devil nature.

Line 31. **Wenn alle Stricke reißen:** 'If everything else fails'; literally, 'if all ropes tear.'

Page 23, line 5. **Prosju Pane** (Polish): 'Please, sir.'

Page 25, line 2. **Essence** (Fr.): 'gasoline'; this word occurs frequently throughout the play and almost becomes symbolical.

Page 26, line 12. **Unsere Partie . . . zu eins!** 'The score of our game is two to one.'

Page 27, line 29. **Le Président du Conseil** (Fr.): 'The President of the Council'; that is, the prime minister.

Page 28, line 1. **linken Seine-Ufer:** The left bank of the Seine is the unfashionable but most characteristic and interesting part of Paris.
Line 10. **Gamin** (Fr.): 'rogue'; literally, 'street urchin.'
Line 17. **Champs Elysées:** the main boulevard of Paris.

Page 29, line 3. **Hispano-Suiza:** a fashionable and expensive make of automobile.
Line 4. **auf und davon:** 'away.'
Line 5. **Ville Lumière** (Fr.): 'City of Light'; the term dates from the Paris World's Fair in 1867, because of the fact that electric light was widely used there for the first time.
Line 14. **Tenez votre morale** (Fr.): 'Keep up your morale.'
Line 25. **Rothschild:** a well-known family of bankers, with branches in Paris, London, and Vienna.

Page 30, line 2. **in puncto** (Latin): 'with regard to'; literally, 'in the point.'
Line 30. **Au revoir** (Fr.): 'Good-by,' 'Till we meet again.'

Page 31, line 20. **Clemenceau:** prime minister of France in World War I.

Page 32, line 1. **eine alte Katz im Sack:** proverbial, 'a pig in a poke.'

Line 8. **Verdun:** a French fortress which the Germans never conquered in World War I.

Line 10. **Ils ne passeront pas** (Fr.): 'They shall not pass'; famous watchword of the defenders of Verdun in World War I.

Line 17. **Carte grise** (Fr.): 'gray card'; certificate of ownership of an automobile.

Line 22. **Dollar-Anleihe der Stadt Baden-Baden:** 'bond issue in dollars of the city of Baden-Baden.' In the 1920s a number of German cities negotiated loans in America, backing them with municipal bond issues.

Page 33, line 16. **A propos** (Fr.): 'By the way.'

Line 20. **Franz Joseph:** Emperor of Austria (died 1916); he wore burnside whiskers that were popularly imitated in Austria.

Page 35, line 1. **Bistros** (Fr.): 'taverns.'

Line 9. **Saint Denis und Sainte Geneviève:** patron saints of Paris.

Line 12. **Lafayette und Trois Quartiers:** large department stores in Paris.   **Potin:** a famous food and delicatessen store.

Line 13. **Rue de la Paix:** a street famous throughout the world for its small, very expensive stores.

Lines 14, 18, 19. **Place de la Concorde . . . und Vendôme und der Boulevard Malesherbes und des Italiens:** well-known streets and squares in the central part of Paris.

Page 36, line 4. **mon ami** (Fr.): 'my friend.'

Page 37, line 5. **Teheran-Teppiche:** Oriental rugs from Teheran.

Line 7. **Abdul Hamid:** Sultan of Turkey at the time of World War I.

Page 39, line 8. **Force majeure** (Fr.): 'an act of God'; meaning a good excuse on account of unavoidable circumstances.

Line 30. **Nichols:** French slang for 'horses.'

Page 40, line 3. **Pompe-funèbre** (Fr.): 'funeral.'

Line 6. **Neuilly:** a suburb of Paris where a popular amusement park is located.

Page 41, line 21. **Ich komme . . . Namen:** 'I have a hard time remembering your name.'

Page 43, line 12. **Route Nationale:** The 'National Highway' runs roughly north and south through Paris. Jacobowsky naturally expects to go south to escape the Germans advancing from the north.

Page 44, line 13. **Cœur Dame:** 'Queen of Hearts.'

Line 23. **ma chère amie** (Fr.): 'my dear friend.'

Page 45, line 3. **Psia krew!** 'Curses!' A fairly strong Polish interjection; literally, 'blood of a dog.'

Page 49. Saint Cyrill: This is the only fictitious locality in the play. It is supposed to be located near Pontivy (see map) in the northwestern corner of France. The time is the evening of the second day after the departure of the fugitives from Paris; Jacobowsky speaks of a "detour of forty-eight hours."

Page 50, line 15. **General Gergaud . . . General Dufresne:** fictitious persons.

Page 52, line 7. **gottverdammt:** Interjections that would be vulgar and highly improper in English are more or less innocently used in European languages.

Line 10. **Gott hab ihn selig:** 'God rest his soul.'

Page 53, line 20. **Sind Sie ganz von Gott verlassen?** 'Have you completely lost your mind?'

Page 54, line 20. **halt:** an almost untranslatable adverb, commonly used in southern Germany and Austria to soften a statement; English 'just' or 'simply.'

Page 56, line 20. **Aperçus** (Fr.): 'epigrams.'
Line 30. **Weichsel . . . Pruth:** 'Vistula and Pruth Rivers,' in Poland.

Page 57, line 4. **Grodno und Goleczyno:** battles in the Polish campaign in August, 1939, when the ill-equipped Polish army made cavalry charges against German tanks.
Line 21. **Jüngsten Tage:** 'the end of the world.'

Page 58, line 7. **Recht geschieht** etc.: 'Serves Jacobowsky right!'
Line 15. **dem armen Tschechen** etc.: 'to stab the poor Czechs in the back.' He is referring to the fact that the Poles in 1938 used the opportunity afforded by the German annexation of parts of Czechoslovakia to grab a strip of that country for themselves.
Line 30. **Stammtischnarr:** a slightly coarse colloquialism. A *Stammtisch* is a table reserved for a regular patron of a restaurant; a *Narr* is a fool. The compound is best rendered by an equivalent American colloquialism, 'silly bar-fly.'

Page 60, line 23. **Schammes:** 'servant'; a Yiddish word, coming from the Hebrew, in which it meant 'guardian' or 'assistant.'

Page 61, line 17. **porch:** an English word that has become fairly current in German.

Page 62, line 7. **Don Giovanni:** an opera by Mozart.
Line 8. **Cyrano de Bergerac:** a play by Rostand.

Page 63, line 13. **zurecht kommt:** 'arrives on time.'
Line 17. **Pflegen der Herr:** an obsolete form of polite address, for-

merly commonly used by servants. The third person plural of the verb is combined with the singular subject *der Herr* or *die Dame.*

Page 66, line 24. **Hein** (Fr.): 'Hey!'
Line 29. **Bon soir!** (Fr.): 'Good evening!'

Page 67, line 6. **Carte d'Identité** (Fr.): 'identification card.' In European countries every person is required to carry such a card. Whenever he moves from one part of the country to another, he must report to the police, and an entry is made on the card. If he moves about a great deal (as Jacobowsky has done), additional sections are stapled on to the card.

Line 27. **das bürokratische Lied:** Though the Brigadier's 'bureaucratic chant' is humorously exaggerated in its form, the basic facts are quite correct, and the complicated procedure for securing permission to move from one part of France to another has been in force for many years.

Line 30. **Commissariat de Police Ihres Arrondissements:** 'police headquarters of your precinct.'

Page 68, line 1. **Papier timbré:** 'official paper.' All requests or petitions to government offices in France must be made on such paper, which can be purchased at any stationery store for about five cents a sheet.

Line 3. **Département** (Fr.): 'state'; the largest administrative subdivision of France.

Line 4. **Préfecture** (Fr.): 'county governor's office.'

Line 5. **Bureau Central Militaire de Circulation** (Fr.): 'Central Military Traffic Office'; a wartime institution intended to regulate traffic and avoid congestion.

Line 18. **schwarz:** 'unlawfully.' The word is used in precisely the same manner as in our expression "black market."

Line 19. **de facto ... nicht de jure:** 'factually but not legally.' The words are legal Latin and are internationally used.

Page 69, line 18. über Stock und Stein: 'without hesitation'; literally, 'over sticks and stones'; used generally of a runaway horse.

Line 20. Visa de Sortie (Fr.): 'exit visa'; official permission to leave a country, stamped on a passport.

Line 21. Sous-Préfecture (Fr.): 'deputy county governor's office.'

Line 27. Dossier (Fr.): 'personal file,' record of an individual.

Page 70, line 6. en règle (Fr.): 'in order.' This expression was one of the greatest significance in France in the last few years. It means having all your official papers in perfect order and therefore being completely at peace with the authorities.

Page 71, line 6. Cadeau (Fr.): 'gift.'

Line 18. Merde alors (Fr.): 'Well then!' A mild but very vulgar interjection.

Page 73, line 7. chéri (Fr.): 'dear.'

Line 8. Tennis-Racket: an English loan-word that is not entirely at home in German. Most Germans would say *Tennis-Schläger*.

Line 16. Sie sind sich zu gut dazu: 'They consider themselves too good for that.' The German construction is interesting, but not unusual. The word *sich* is an ethical dative, meaning something like 'in their own estimation.'

Page 74, line 16. Sûreté Nationale (Fr.): 'National Police Department.'

Page 76, line 20. Vive la vie! (Fr.): 'Long live life!' or 'Hurrah for life!'

Page 77. Bayonne: See the map. A period of about eight days has elapsed since the preceding scene. In that scene we learned that the Germans had entered Paris on the previous day, actually June 14. In this scene we are informed that the armistice has just been signed at Wiesbaden. That took place on June 23. Meanwhile the party of refugees has been driving down the west coast, dodging German columns. We learn that they have been at Bordeaux, where no more ships were leaving, and now they are trying to escape from the port of Bayonne.

Page 79, line 1. Plein-Air-Malerei (compound of Fr. and G.): 'open-air painting.'
Line 8. **Brioche** (Fr.): 'sweet roll.'

Page 82, line 25. Réfugié (Fr.): 'refugee.'
Line 31. **Ravitaillement** (Fr.): 'forage'; a military term.

Page 83, line 28. Schneewittchen: 'Snowwhite'; the whole reference is to the Grimm fairytale of Snowwhite and the Seven Dwarfs.

Page 84, line 12. Cognac, Réserve 1911: 'brandy,' distilled in the Cognac district of France.
Line 23. **Fine** (Fr.): 'pure cognac.'
Line 29. **ein Brot ... belegt:** 'made a sandwich for ...'

Page 85, line 6. Gebrannter Wein: 'brandy.' The more usual word is *Branntwein.*
Line 11. **Ich hört ein Bächlein rauschen:** a well-known song with music by Franz Schubert and words by Wilhelm Müller.

Page 86, line 5. in Dax im Centre d'Acceuil (Fr.): 'in the public dormitory in Dax.' During the days of the collapse the French cities had to establish public dormitories in schools, theaters, and other public buildings, to house refugees.

Page 87, line 20. Taisez-vous! (Fr.): 'Keep quiet!'
Line 23. **der Ewige Jude ... der Heilige Franziskus:** 'the Wandering Jew ... St. Francis' (of Assisi). This scene was pretty gener-

ally misunderstood by the less intelligent critics and was therefore omitted from the American version of the play. The author certainly does not intend to introduce two mythical characters here and to change a realistic tragicomedy into a legend. The two characters are actually a Jewish intellectual and a Catholic monk, both refugees fleeing from the Germans. At the same time, however, they are symbols of the religious persecution in the fascist countries, and they are headed for America, where they will enjoy religious freedom. The Jew, when asked who he really is, is struck with a whimsical notion and replies, "Why, really, I'm the Wandering Jew." Then he elaborates upon the idea, and includes even the great gust of wind which, legend says, always follows the Wandering Jew. Of course, the gust of wind has previously been motivated by the fact that a thunderstorm is brewing. The whole episode is delightfully absurd, pitifully human, and deeply symbolical.

Line 25. **Tandem:** 'two-seated bicycle.'

Page 88, line 14. **Clipper-Billett** (compound of Eng. and Fr.): 'ticket for the Atlantic Clipper.'

Line 26. **Pater** Latin for 'Father,' regularly used in Austria, less frequently in Germany, in addressing a priest.

Page 90, line 1. **Eugène Sue:** a French author who wrote a version of the story of the Wandering Jew.

Line 3. **In Wiesbaden ... der Waffenstillstand:** Though the surrender of the French armies took place in a railroad car in the woods near Compiègne, the final terms of the armistice ending the hostilities between French and Germans were signed on June 23, 1940, at Wiesbaden (near Frankfurt-am-Main) in Germany.

Line 12. **Irun:** the Spanish city nearest to the French border (see the map). Separated from France merely by a long bridge, it furnished a road of escape for those refugees who were fortunate enough to get Spanish transit visas.

Line 25. **Madame la France:** The priest sees in Marianne a symbol of France with all her characteristics, lovable as well as frivolous. Throughout the play we observe the transformation of Marianne from a somewhat foolish, pleasure-loving young woman into a serious person, capable of making a great sacrifice in the end. Her reaction to the priest's address is the beginning of her change.

Page 91, line 11. Hiergeblieben: The past participle in German is the strongest form of imperative. It, or the infinitive, is used in all military commands.

Line 22. **Gestapo:** 'Secret Police.' The word is a contraction of the full name, Ge*heime* Sta*ats*-Po*lizei*. There is some argument about its pronunciation, since it has never been designated as an official title. *Ges'tapo* and *Gesta'po* are both heard, with preference probably being given the latter.

Line 23. **Mitgefangen, mitgehangen:** proverbial. The full proverb has three parts and begins with *Mitgegangen,* meaning that, if you go along (with a criminal), you are caught with him, and hanged with him.

Page 93, line 13. fair: Strangely the German language has no word that completely corresponds to this English word and therefore borrows it.

Page 94, line 20. preußischer Junker: 'Prussian aristocrat.' The young lieutenant is supposed to be a typical German officer. He speaks, as the reader will notice, with almost painful correctness, he is very polite but very arrogant toward the civilians whom he addresses, and he treats the Gestapo official with insulting disdain, because he has no use for any sort of civilian.

Line 22. **Mann:** See the note on page 20, line 23. The verb with such false singulars is, of course, always in the plural.

Page 95, line 4. vorzuspritzen und ... durchzukämmen: 'squirt ahead and comb through.' Nazi Germany has coined many new words, among which some are absurd from the linguistic point of view. The author here satirizes such neologisms.

Line 8. **sächselt:** 'speaks with a Saxon accent.' Among the many German dialects, the Saxon is one of the most peculiar and can be made to sound highly ridiculous. There is something almost burlesque about the feared agent of the Gestapo speaking a silly-sounding dialect.

Line 9. **Rasierpinsel:** literally, of course, 'shaving-brush,' but in reality the beard of a chamois, worn by would-be sportsmen on their hats to indicate their prowess as hunters.

Line 10. **die Quab:** a whimsical invention of the author to satirize the mania for contracting names of government agencies into absurd words formed by their initials. There is, of course, no such thing as the Quab, but the very sound of the word frightens the refugees.

Line 16. **Tathandlung:** another bit of satire on Nazi neologisms. As it stands, the word is tautological, since both parts of the compound mean act. It might be translated as 'deed-action.'

Line 20. **Angers und Agde:** camps in which Polish and Czech refugees were trained as auxiliary troops for the French army. Many of them never saw action because the war ended before they were fully trained and equipped.

Page 96, line 16. **Schweinehund:** about as insulting an appellation as the German language has.

Line 17. **Seversky etc.:** In the Gestapo agent's list the fictitious names of the Colonel and others are cleverly interspersed with the names of real and well-known persons, as General Sikorsky and Colonel Seversky.

Page 98, line 3. **allemal:** 'anyway'; an almost meaningless and untranslatable adverb in the Saxon dialect.

Line 24. **Chose** (Fr.): 'thing,' 'affair.'

Line 30. **SS-Leute:** SS stands for *Schutz-Staffel,* 'guard-squadron.' This is the élite guard of the Nazi Party, established long before 1933, which retained its identity even in the army. The SS wears black uniforms.

Page 99, line 2. A trois (Fr.): 'In a group of three.'

Line 6. Bund deutscher Mädels: 'Union of German Girls'; the official Nazi youth organization for girls.

Line 7. à quatre bis à douze (Fr.): 'in groups of from four to twelve.' The following speech of the Tourist is a biting satire on the alleged moral standards in the Nazi youth movements as well as on the neopagan teachings of the Nazis.

Line 10. flammenden Julklotz: 'flaming yule log.' The ritual of the midwinter, or yule, festival, which preceded the Christian institution of Christmas, included dancing about and jumping over a burning log.

Line 12. weltseligem Lockruf: 'an alluring cry of cosmic bliss'; another charming bit of satiric combination.

Line 23. Willensbildung: 'decision'; literally, 'formation of the will.' Again a silly Nazi neologism; any reasonable German would say, *Ich habe meinen Entschluß noch nicht gefaßt.*

Line 27. man: North German and Saxon dialectal equivalent of *nur.*

Line 29. Zerrüttung eines Rassenariers durch Juda: 'ruin of an Aryan by Jewish influence.' The Tourist is supposed to be quoting from the Nürnberg racial laws.

Page 100, line 1. Loup (Fr.): 'Wolf.' Fils de (Fr.): 'Son of.' The etymology of the name Deloupe, plausible as it is made to sound, is, of course, ridiculous.

Line 16. Sweater: This word has been so generally adopted in German that sometimes it is found spelled *Zwetter.*

Line 26. Loslassen! 'Let go!' An infinitive used as imperative, like the past participle similarly used, is much stronger than the simple imperative.

Page 101, line 23. **Erdfaltenausbruchsölersatz Gasigasol:** 'gasoline.' This is the author's most whimsical satiric neologism. Literally it means 'substitute for oil broken out of crevices in the earth'; *Gasigasol* is a fanciful trade-name.

Line 24. **Jawoll:** common North German mispronunciation of *jawohl*.

Page 102, line 1. **Die Partei ... weichen:** 'In this instance the party has to yield to the army.' In the totalitarian countries the army had constantly to combat the political influences of the party.

Line 6. **Das Ganze — Kehrt!** etc.: 'Detachment—about face! Mount! Direction half-right,' etc.; regular form of military command.

Page 104, line 17. **auf Nimmerwiedersehen:** humorous opposite of *auf Wiedersehen* and best translated as 'good-by forever.'

Line 22. **Los!** 'Away!'

Page 107. **Au père Clairon:** French cafés are often named after their proprietors; so here, perhaps, 'Father Clairon's.' **Saint Jean-de-Luz:** This is only a short distance farther down the coast than Bayonne in the preceding scene (see the map), but at least another five days have elapsed. The occupation of the coast by the Germans has been accomplished (June 27).

Line 12. **mit dem Unsterblichen (de l'Académie Française):** The French Academy consists of forty distinguished men in the fields of arts and letters, who are known as the Immortals. They represent the leaders of French culture. In the person of the Immortal, the author is not satirizing the French Academy or any particular member of the Academy, most of whom remained stanchly opposed to fascism, but rather the collaborationist intellectuals of France and of other European countries in general.

Page 108, line 1. **nicht gewachsen:** 'not equal to.' The syllables that follow represent sounds of coughing.

Line 15. **Pernod:** a popular French drink, the chief ingredient of which is absinthe.

Line 29. **gallischen:** 'Gallic,' 'French.' The word involves a pun on *die Galle,* 'gall.'

Page 109, line 7. **L'esprit gaulois** (Fr.): 'The French spirit.'

Line 16. **Que voulez-vous?** (Fr.): 'What do you expect?'

Line 25. **Die provençalische Kochkunst** etc.: Between 1309 and 1377 the seat of the papacy was not in Rome but in Avignon in Provence (southern France). This period is known as the Babylonian Captivity of the Church. The absurdity of the Immortal's planned booklet lies in its triviality.

Line 28. **cher maître** (Fr.): 'dear master.'

Page 110, line 5. **Roms Zusammenbruch:** The reference is to the founding of the Holy Roman Empire after the collapse of the old Roman realm.

Line 10. **Wohl bekomms!** 'I wish you luck!'

Page 111, line 7. **Camouflage!** (Fr.): 'Disguise!'

Line 11. **arrosé** (Fr.): 'mixed.'

Line 24. **Kamnitzer:** a fictitious character.

Line 31. **Bückeburg:** a provincial German city.

Page 112, line 1. **Beethovens Neunte:** the Ninth Symphony of Beethoven, known as the Choral Symphony, and generally regarded as his greatest. **Napoleon auf der Brücke von Arcole:** a famous painting of the young Napoleon.

Line 2. **der Heilige Dominikus:** a painting by the Renaissance painter El Greco.

Line 19. **Sous:** a French coin, roughly equivalent to one cent.

Line 25. **exotischen Ländchens:** During the collapse of France a number of small Central and South American countries made a good business out of the sale of passports at exorbitant prices.

Line 28. **Transitania:** a fictitious country, probably standing for Spain and Portugal. A person wishing to emigrate from France to the western hemisphere had to pass through these countries. Portugal would not issue a transit visa unless the passport had previously been approved for an American country, and Spain would not give a transit visa unless Portugal had previously granted one. Since a visa was generally not good for more than three days, and since the crowds at the consulates were tremendous, the earlier visa usually expired before the last one could be secured.

Page 113, line 20. **Konsul Nummer Eins** etc.: The episode which Jacobowsky relates is based on an actual happening in Marseille in June, 1940.

Page 114, line 24. **Camions** (Fr.): 'trucks.'

Page 115, line 9. **Commissaire Spécial de Police** (Fr.): 'Special Police Commissioner.'
Line 27. **Na, und?** 'Well, what about it?'

Page 116, line 2. **Mercedes Compressor:** 'Supercharged Mercedes'; a make of automobile. Here we have the fictitious Quab once more.
Line 13. **Na, wirds?!** 'Well, get going!'
Line 19. **Laissez passer** (Fr.): 'universal pass'; a special pass issued to high German officials by the Armistice Commission, permitting the bearers to circulate anywhere in France. The one which the Dice Player carries is, of course, not genuine, as we shall surmise as soon as we discover who he is.

Page 117, line 10. **Herr Abetz:** the German civilian commissioner appointed governor of occupied France and ambassador to Vichy.
Line 14. **Machen Sie ihm Beine!** 'Get him out of here!'
Line 18. **Allons** (Fr.): 'Let's go!'
Line 22. **unsterblich:** In his reply the Gestapo agent makes a sinister pun on the word 'immortal.'

Page 118, line 4. Hitlergruß: The 'Hitler greeting' combines the
upraised right hand with the words *Heil Hitler*.

Page 119, line 31. Couvre de Feu (Fr.): 'curfew'; literally, 'covering of the fire.' In the Middle Ages the ordinances of cities required that at dark the fires in houses be extinguished. The French
term for this act was corrupted by the English into our present word.

Page 121, line 8. Lissabon: 'Lisbon'; the capital of Portugal, and
the port from which most refugees left for America.

Page 122, line 7. Frau Mutter: hard to translate, perhaps 'Madam
Mother.' It is a stiltedly polite way of referring to someone else's
mother, but never to one's own.

Page 123, line 24. verdammt: 'very'; literally, 'damnably.'
Line 30. Môle de Nivelle (Fr.): 'Nivelle pier' in the harbor of
Saint Jean-de-Luz, at the mouth of the Nivelle River.

Page 124, line 2. l'addition (Fr.): 'the bill.'
Line 4. Vermouth mit Bitter: 'vermouth and bitters.'
Line 16. Czenstochau: a famous shrine in Poland. The Colonel
wears an amulet from this shrine about his neck.

Page 125, line 18. Demarkationslinie: the 'line of demarcation'
between the occupied and unoccupied sections of France. In the
former the Germans had complete jurisdiction, while in the latter
the French were nominally in authority.

Page 126, line 14. Gurs: a German concentration camp in France.

Page 128, line 4. der späten Nacht: The action of the final scene
takes place exactly seven hours after the preceding one.

Page 129, line 3. **Die Frage hat Hand und Fuß!** 'That's a reasonable question!'

Line 27. **San Sebastian:** a city on the Biscay coast of Spain, a short distance from France.

Line 30. **Franco:** the Spanish generalissimo and dictator of Spain since the Spanish civil war.   gratis und franco: 'free of charge and freight prepaid.' This is a regular business term, and, of course, a pun with the name of Franco is intended.

Page 130, line 4. **Training:**   Many words dealing with athletics and sports are taken over from English.

Page 132, line 4. **nicht zu zweit, sondern zu dritt:** 'not in a party of two but of three.'

Line 13. **Firma Cook:** 'the firm of Cook'; a famous English travel bureau, with branches all over the world, that specializes in conducted tours.

Page 139, line 17. **Ulysses:** the hero of Homer's *Odyssey,* who distinguishes himself by successfully escaping from one peril after another.

Page 141, line 1. **Adieu et au revoir** (Fr.): 'Good-by till we see each other again.' In Jacobowsky's last line the symbolism of Marianne as the spirit of France is brought out clearly, and hope for the liberation of France is confidently expressed.

VOCABULARY

The following words have been omitted from the vocabulary: (1) The 600 most frequent words of the German language according to the Wadepuhl-Morgan *Minimum Standard German Vocabulary* (Crofts, 1936) and Purin's *Standard German Vocabulary* (Heath, 1937, 1941). Words appearing in these lists are included in the vocabulary only if they are used in other than their ordinary meanings. (2) Neologisms and unusual compounds that are not common in ordinary German. Such words are explained in the notes. (3) French words and other foreign words that are not normally accepted in German. Such words are explained in the notes. (French words that have become a part of the normal German vocabulary are included.)

Accent marks are used to indicate the stress of words that vary from the usual rules or that are stressed differently from their English cognates. Soft *g* and *ch* sounds are indicated, but no attempt has been made to describe the pronunciation where phonetic symbols would have been required. Since many French words occur, the teacher should acquaint the student with the simplest rules of French pronunciation.

Since this book is intended for students who have had at least a full year of college German or its equivalent, the parts of speech are indicated only where confusion might arise.

The nominative plural of nouns is given except when (1) the plural is exactly like the singular or (2) the noun is used in the singular only and has no plural. The genitive singular is given only for nouns of the mixed and irregular declensions.

The principal parts of a strong or irregular verb are given only in the simple form of the verb or, if the verb is one of the 600 most frequent words in German, not at all. Compound verbs with vowel change are indicated by an asterisk (*). This symbol means either that the principal parts are given with the simple form of the verb or that the student is expected to know them. Separable compound verbs are indicated by a dot between the prefix and the verb.

Past and present participles used as adjectives or as nouns are given only when the verb from which they are derived does not occur in the book. The adverbial form of adjectives is not separately given, as the student is expected to know that normal German adjectives are used as adverbs without change.

The following abbreviations are used:

adj.	adjective	*imp.*	impersonal
adv.	adverb	*indecl.*	indeclinable
coll.	colloquial	*pl.*	plural
comp.	comparative	*prep.*	preposition
dim.	diminutive	*pron.*	pronounced
excl.	exclamation	*refl.*	reflexive
gen.	genitive	*vulg.*	vulgar

ab·brechen * to break off, stop
ab·decken to cover; to uncover
ab·ecken to cut off square
die Abenddämmerung (–en) twilight
das Abenteuer adventure
ab·fangen * to capture
ab·führen to lead away
abgeblendet shaded, dimmed out
ab·gehen * to go off
der Abgrund (⸚e) abyss
ab·holen to call for, fetch
ab·kaufen to buy
ab·lassen * to let off; to dispatch
ab·lehnen to refuse
ab·lenken to distract
ab·leuchten to examine by light
ab·liefern to deliver, hand over
der Abmarschbefehl (–e) command to march
ab·rechnen to figure out; to settle an account
die Abreise (–n) departure
ab·ringen * to acquire by struggle
der Abschaum scum
abscheulich horrid
die Abschiebung (–en) deportation
der Abschied (–e) leavetaking, departure

die Abschiedsgesellschaft (–en) farewell party
ab·schnappen to snap off
ab·schneiden * to cut off, interrupt
der Abschuß (⸚e) shot
abseits *adv.* aside
der Absinth' absinthe
ab·sitzen * to dismount
absolut' absolute
ab·sperren to lock up
ab·stellen to turn off; to set down
ab·suchen to search through or over
die Abteilung (–en) division, detachment
der Abtritt (–e) toilet
die Abwehrbatterie (–n) anti-aircraft battery
ab·wehren to ward off, push aside
ab·weisen * to reject
ab·wenden * to turn away
abwesend absent, absentminded
ab·wickeln to unwind
ab·winken to make a sign to the contrary; to stop
ab·zählen to count off
die Achsel (–n) shoulder
achselzuckend *adv.* with a shrug
achtlos careless

die **Achtung** attention, respect

das **Adjektiv'** (-e) adjective

die **Adresse** (-n) address

adrett' neat

der **Advokat'** (-en) lawyer

der **Affe** (-n) monkey

der **Agent'** (-en) agent

ähnlich similar

die **Ahnung** (-en) premonition, idea, conception

der **Akt** (-e) act (*of a play*)

die **Aktenmappe** (-n) briefcase

die **Aktentasche** (-n) briefcase

die **Aktie** (-n) stock certificate, bond (*financial*)

der **Akzent'** (-e) accent

akzeptieren to accept

der **Alarm** (-e) alarm

die **Alarmsirene** (-n) alarm siren

der **Albdruck** nightmare

allbekannt universally known

allbewundert most highly admired

alliiert' allied

die **Alliier'ten** Allies

das **Altertum** (ᵘer) antiquity

altmodisch old-fashioned

der **Ameisenzug** (ᵘe) procession of ants

der **Amerikaner** American

die **Amme** (-n) nursemaid

amtlich official

die **Amtshandlung** (-en) official action

der **Amtsstil** official style

an·bieten * to offer

an·blicken to look at

das **Andenken** souvenir, memento

andererseits *adv.* on the other hand

die **Änderung** (-en) change

an·deuten to indicate

an·erkennen * to recognize, acknowledge

der **Anfall** (ᵘe) attack, fit

der **Anfang** (ᵘe) beginning

an·fangen * to begin

an·gehen * to concern

an·gehören to belong to

der **Angehörige** (-n) member, relative

angejahrt antiquated

angenehm pleasant, pleasing

angesichts *prep. gen.* in the presence of, in view of

anglo-amerikanisch Anglo-American

der **Angriff** (-e) attack

die **Angst** (ᵘe) fear, anxiety

der **Angsttraum** (ᵘe) nightmare

an·haben * to have on, wear; to injure

an·halten * to stop

der **Anhaltspunkt** (-e) foothold, evidence

an·hören to listen to

an·kommen * to arrive; darauf — to depend upon, be a question of

die **Anleihe** (-n) loan

an·nehmen * to accept, assume

an·raten * to advise

der **Anruf** (-e) call, order

an·rufen * to call upon

an·rühren to touch

an·schaffen to procure, purchase

anschaulich evident, clear

an·schieben * to start pushing

an·schlagen * to strike, strike against

an·schnallen to strap on

an·sehen * to look at

an·sprechen * to address

die **Anstalt** (-en) institution

der **Anstaltspyjama** (–s) hospital pajamas

der **Anstand** trouble, objection; propriety, behavior

anständig decent, respectable

an·starren to stare at

an·stecken to light, set fire to; to pin on; to infect

an·stellen to employ; to institute; to undertake; to do

an·streichen * to paint

die **Anstrengung** (–en) effort

an·stückeln to attach pieces

an·suchen to request, petition

der **Anteil** (–e) part, share

an·tun * to do to

die **Anweisung** (–en) order, instruction

der **Anwesende** (–n) person who is present

an·zeigen to report, indicate

an·ziehen * to put on; to draw, attract; **sich** — to dress

der **Anzug** (ᴈe) suit of clothes

an·zünden to light, set fire to

apart private, separate, unusual

der **Arac** arac, East Indian rum

die **Arbeiterbibliothek** (–en) workers' library

die **Architektur′** architecture

ärgerlich annoyed, angry

das **Argument′** (–e) argument

argwöhnisch suspicious

der **Arier** Aryan

die **Armbanduhr** (–en) wristwatch

die **Armee′** (–n) army

der **Ärmel** sleeve

die **Artillerie′barrage** (–n) (*soft* g) artillery barrage

das **Artillerie′feuer** artillery fire

der **Asphalt** pavement

der **Atem** breath

atembeklemmend constricting, suffocating

atemberaubend breathtaking

der **Atemzug** (ᴈe) breath, inhalation

athletisch athletic

atlantisch Atlantic

die **Attacke** (–n) attack

attraktiv′ attractive

auf·atmen to catch one's breath

der **Aufbau** rebuilding

auf·bauen to build up

auf·bewahren to keep, store, save

auf·blättern to unfold

auf·blitzen to flash

auf·brechen * to break open

auf·drehen to turn on

der **Aufenthaltsort** (–e) place of residence

auf·fassen to grasp, comprehend

auf·flammen to flare up

auf·fordern to demand, request

auf·geben * to give up

auf·gehen * to rise

auf·greifen * to catch, arrest

auf·halten * to detain, hold back

auf·heben * to pick up, raise; **to** cancel, nullify

auf·heulen to howl loudly

auf·klären to clear up

die **Aufklärung** (–en) enlightenment

auf·leuchten to gleam

aufmerksam attentive

die **Aufmerksamkeit** (–en) attention

auf·regen to excite, arouse

auf·reißen * to open wide

aufrichtig honest, upright

aufrührerisch rebellious

auf·schieben * to postpone

auf·schlagen * to raise (*eyes*); to open (*book*)

auf·schluchzen to sob loudly

der Aufschrei (–e) scream

auf·schreien * to cry out, scream

die Aufschrift (–en) inscription

der Aufschwung rise, growth

das Aufsehen sensation, stir

auf·setzen to put on

auf·seufzen to heave a sigh

auf·sitzen * to mount

auf·springen * to jump up; to spring open

auf·spüren to track down, find

auf·stampfen to stamp (one's foot)

auf·steigen * to rise

auf·stellen to set up

auf·stoßen * to push open; to bump into

auf·tauchen to appear

der Auftrag (ᵘe) errand

auf·treiben * to procure, get

auf·wachsen * to grow up

der Augenschirm (–e) eye-shade

aus·blasen * to blow out

aus·brechen * to break out

aus·breiten to spread out

der Ausbruch (ᵘe) outbreak

aus·denken * to imagine; to think out

aus·drücken to express

die Ausdrucksweise (–n) manner of expression

aus·folgen to deliver, hand over

aus·führen to carry out

die Ausfüllung filling out, completion

der Ausgang (ᵘe) exit

die Ausgangstür (–en) exit

ausgebürgert expatriated

aus·gehen * to go out; to be used up; to emanate, originate

ausgehöhlt hollow

ausgemergelt emaciated

ausgesprochen definite, decided

ausgestorben empty, desolate

aus·halten * to hold out, stand; to keep

aus·heben * to lift out, raid

der Aushilfsirrenwärter emergency attendant for the insane

aus·kennen *: sich — to know one's business, be experienced

aus·kommen * to get along

der Ausländer alien, foreigner

ausländisch foreign, alien

aus·liefern to deliver, surrender

die Auslieferungsliste (–n) extradition list

aus·nehmen * to except; to take out

aus·packen to unpack

die Auspi′zien *pl.* augury, prophecy

aus·plündern to plunder, rob

aus·probieren to try out

der Auspuff exhaust-pipe

aus·rechnen to figure out

aus·reichen to suffice

aus·rotten to exterminate

die Ausrottung extermination

der Ausruf (–e) exclamation

aus·schalten to disconnect, switch off; to eliminate

aus·schauen to look; — wie to look like

ausschließlich exclusive

aus·schwärmen to swarm out

außen *adv.* outside

aus·senden * to send out, emit

außerdem moreover
außerdienstlich unofficial
äußerst extreme
die Aussicht (–en) view, prospect, expectation
aus·sprechen * to pronounce
der Ausspruch (ᵘe) declaration
aus·spucken to spit
aus·steigen * to get out (*of a vehicle*)
aus·suchen to search out, pick out
aus·weichen * to evade, dodge
der Ausweis (–e) identification card
auswendig *adv.* by heart
aus·zeichnen to distinguish
die Auszeichnung (–en) distinction, decoration
der Autobus (–se) autobus
der Automat' (–en) automatic vending machine (*of any sort*)
der Automobilist' (–en) motorist
die Automobil'karte (–n) roadmap
der Automobil'klub (–s) auto-club
der Au'tomotor (–e) automobile motor
der Autor (–en) author
der Au'tounfall (ᵘe) auto accident
avancieren to advance, be promoted

der Bahnhof (ᵘe) railway station
balancieren to balance
der Balkon' (–e) balcony
die Balkonszene (–n) balcony scene
die Balla'de (–n) ballad
ballen to clench, ball, wad
das Ballett' (–e) ballet

der Bankmagnat' (–en) banker, financier
bar *adj.* cash
die Bar (–s) bar
der Barbar' (–en) barbarian
das Bargeld cash
der Baron' (–e) baron
barsch brusque, rude
der Bartisch (–e) bar
die Baßstimme (–n) bass voice
die Batterie' (–en) battery
der Bauch (ᵘe) belly
die Beachtung attention
beauftragen to order, delegate
beben to quiver, tremble
der Becher cup
bedauerlicherweise *adv.* regrettably
bedauern to regret
bedecken to cover
bedeuten to mean, intend
die Bedeutung (–en) meaning
bedienen to serve
bedürfen * (*with gen.*) to require, need
das Bedürfnis (–se) need, desire
beeilen: sich — to hurry
beenden to complete, finish
der Befehl (–e) order, command
die Befehlsform (–en) command-form
befestigen to attach
befinden *: sich — to be, be situated
der Befreier liberator
befriedigen to satisfy
befugt authorized
befürchten to fear
die Befürchtung (–en) fear, worry
begeben *: sich — to betake oneself

die **Begegnung** (–en) chance meeting
begehren to ask for, desire, long for
begeistert enthusiastic
der **Beginn** beginning
beglaubigen to attest, certify
begleiten to accompany
begreifen * to grasp, comprehend
begreiflich understandable
der **Begriff** (–e) concept; **im — sein** to be on the point of
begründen to base, found; to give reason for
behaglich comfortable
behalten * to keep, retain
behandeln to treat
die **Behandlung** treatment
behandschuht gloved
behaupten to claim, profess, maintain
beherbergen to harbor, entertain
beherrschen to rule, control
die **Behörde** (–n) authorities, government official
behüten to protect, guard; **Gott behüte!** God forbid!
beichten to confess
der **Beifall** applause, approval
beisammen *adv.* together
beißen (i, i) to bite
der **Beitrag** (⸗e) contribution
bei·wohnen to attend
beizeiten *adv.* in time
beklommen uneasy, anxious
bekreuzen: sich — to make the sign of the cross
beladen * to load down
belästigen to bother, annoy
beleidigen to insult, offend
beleuchten to illuminate
belieben to choose, wish; **— Sie** please
bemerken to notice
bemühen to bother, trouble; **sich —** to try hard, make an effort
benachrichtigen to notify, inform
benachteiligen to injure (*usually in business*)
beneiden to envy
benötigen to need, require
benutzen to make use of
der **Beob'achter** observer
die **Beob'achtung** (–en) observation
berechtigt justified
die **Beredsamkeit** eloquence
bereit ready, prepared
bereiten to prepare
bereits already
bereuen to repent
bergen (a, o) to conceal
der **Beruf** (–e) occupation
der **Berufsoffizier** (–e) professional officer
beruhen to be based
beruhigen to calm, quiet
die **Beruhigung** relief
berühmt famous
die **Berührung** (–en) touch, contact
besagt aforesaid
beschädigen to damage
bescheiden modest
die **Bescheidenheit** modesty, reticence
die **Bescheinigung** (–en) certificate
beschreiben * to describe
beschreiten * to step out on, proceed on
beschwichtigen to calm, appease
besetzen to occupy

die **Besinnung** consciousness, reflection

der **Besitz** (-e) possession

besitzen * to possess

die **Besitzübertragung** (-en) transfer of ownership

besonders particularly

die **Besonnenheit** presence of mind

besorgen to procure, take care of

besorgt worried

beständig constant

bestätigen to confirm, corroborate

bestechen (a, o) to bribe

das **Besteck** (-e) knife, fork, and spoon

bestehen * to consist

besteigen * to mount

die **Bestellung** (-en) order

bestenfalls *adv.* in the most favorable case

die **Bestie** (-n) beast

bestimmt definite, certain, sure

bestürzt startled, shocked

beteiligen: sich — to participate, collaborate

betrachten to regard, examine

betreffen * to concern

betreten * to step into, enter

betreten *adv.* embarrassed, worried

betrügen (o, o) to deceive, cheat

betrunken drunk

betten to put to bed, lay down

betteln to beg

der **Bettnässer** bed-wetter

beurteilen to judge, estimate

die **Bevölkerung** (-en) population

bewachen to watch, guard

bewahren to keep, guard, maintain

bewegen to move

die **Bewegung** (-en) motion; emotion

bewegungslos motionless

der **Beweis** (-e) proof

die **Bewunderung** admiration

das **Bewußtsein** consciousness

bezahlen to pay

der **Bezirk** (-e) precinct, district

die **Bibel** Bible

biblisch Biblical

das **Bier** beer

das **Bierhaus** (ᴟer) beer-house

bieten (o, o) to offer, bid

bilden to form

das **Billard'** (-s) billiard table, billiards

der **Biskuit'** (-e) cracker, cookie

bißchen *indecl. adj.* little (*in quantity*)

bitter bitter

die **Bitterkeit** bitterness

blasen (ie, a) to blow

blaß pale

die **Blässe** pallor

blättern to turn over pages

das **Blech** tin

blechern tinny

bleich pale

blenden to blind, dazzle

der **Blick** (-e) glance

blind blind

blinzeln to blink, wink

der **Blitz** (-e) lightning

blitzhaft lightninglike

der **Blitzkrieg** (-e) lightning war

bloß bare, mere

das **Blut** blood

der **Blutdruck** blood-pressure

der **Boden** (ᴟ) floor, ground, soil; attic

die **Bogenlampe** (-n) arc-light

der **Bolschewik'** (–en) Bolshevik
das **Bombardement'** (–s) bombard-
ment
bombardieren to bombard
die **Bombe** (–n) bomb
die **Bombenbegleitung** accompani-
ment of bombs
bombensicher bombproof
das **Boot** (–e) boat
das **Bord** board; **an —** on board
die **Böschung** (–en) road embank-
ment
der **Bösewicht** (–e) scoundrel
die **Bosheit** (–en) malice, spite, ill
nature
der **Bote** (–n) messenger
der **Botschafter** ambassador
das **Boudoir** (–s) boudoir, dressing-
room
die **Brandung** surf
braun brown
brav good, brave
brechen (a, o) to break
die **Bremse** (–n) brake
die **Brieftasche** (–n) billfold, wallet
der **Brigadier'** (–e) sergeant
die **Brille** (–n) glasses
brilliant' brilliant
bringen (brachte, gebracht) to
bring; **ums Leben —** to kill
britisch British
der **Brokat'** brocade
der **Bruchteil** (–e) fraction
die **Brücke** (–n) bridge
der **Brückenkopf** (ᵘe) bridgehead
brüllen to roar, yell
brummen to hum, buzz, growl
brüsk rude
die **Brusttasche** (–n) breast pocket
der **Bücherstand** (ᵘe) bookstore
die **Bucht** (–en) bay

bücken: sich — to stoop
die **Bühne** (–n) stage
der **Bund** (ᵘe) union, society
das **Bündel** bundle
bunt gay, colored; **das ist zu —!**
that's too much!
das **Bürgermeisteramt** (ᵘer) may-
or's office
der **Bürokrat'** (–en) bureaucrat
bürokratisch bureaucratic
der **Bursche** (–n) chap, fellow

[Note that *ch* (in the words of
French origin) is pronounced
like English *sh*.]
charmant' charming
der **Chauffeur'** (–e) chauffeur
chauffieren to drive an automobile
der **Chef** (–s) chief
der **Cognac** cognac
der **Coiffeur'** (–e) hairdresser
der **Commis'** (*silent s*) clerk
die **Compagnie'** (–n) partnership,
company
die **Corvette** (–n) corvet, small
naval vessel
das **Coupon'** (–s) coupon
der **Cutaway** (–s) cutaway (*coat*)

das **Dach** (ᵘer) roof
daheim at home
dahinter·kommen * to find out,
discover
dalli *slang* hurry up
damals then, at that time
das **Damenbrett** (–er) ladies'
bench
die **Damentoilette** (–n) ladies'
toilet
der **Damm** (ᵘe) pier, roadway

das Dankgebet (-e) prayer of thanks

davon·laufen * to run away

die Decke (-n) covering, blanket; ceiling

delikat' delicate

die Demarkations'linie (-n) demarcation line

demnach accordingly

die Demokratie' (-n) democracy

der Deserteur' (-e) deserter

der Desinfek'tor (-en) disinfector

deuten to point

deutlich clear, accurate

die Devise (-n) motto

der Dialog' (-e) dialogue

dicht thick, close; air- or water tight

dienen to serve

der Dienst (-e) service

diensthabend adj. on duty

dienstlich in line of duty, official

die Diensttasche (-n) field-kit

das Ding (-e) thing

direkt direct, straight

dirigieren to direct, conduct

der Diskant' (-e) treble, falsetto voice

die Distanz' (-en) distance

distanzieren: sich — to keep one's distance

divers' various

dividieren to divide

die Division' (-en) division

das Dokument' (-e) document

der Donner thunder

Donnerwetter excl. thunderation

doppelt double

das Doppelzweirad (¤er) tandem bicycle

der Dorfkirchturm (¤e) steeple of a village church

der Drache (-n) dragon

das Drama (pl. Dramen) drama

der Drang pressure

drängen to press, urge

draußen outside

der Dreckfresser vulg. dirt-eater, cheapskate

dreckig dirty

der Dreh slang gag, witticism

das Dreieck (-e) triangle

dreiteilig three-part

das Dressierhalsband (¤er) training-collar

dringen (a, u) to urge, press; to come forth

drin·stehen * to stand in it, be in it (the paper)

drohen to threaten, menace

drucken to print; wie gedruckt like a book

drücken to press, squeeze; sich — coll. to absent oneself

das Duell' (-e) duel

duften to be fragrant

dulden to suffer, permit

dumpf dull

dunkelblau dark-blue

durchbrechen * to break through

durcheinander adv. in confusion

durchfliegen * to fly through

durchforschend penetrating

durch·kommen * to get through

durchqueren to cross over, traverse

die Durchreise (-n) passage through, transit

durch·schauen to look through, search

durchtränken to saturate

durch·wühlen to rummage through

dürftig shabby, needy

düster gloomy

die Ebbe (–n) low tide

ebenfalls *adv.* likewise

das Echo (–s) echo

echt genuine

die Ecke (–n) corner

edel noble

der Edelmann (*pl.* Edelleute) nobleman

der Egoist' (–en) egoist

die Ehe (–n) marriage

ehemalig former

ehemals formerly

der Ehemann (*ᵘ*er) husband

die Ehrenmedaille (–n) medal of honor

der Ehrenschatzmeister honorary treasurer

das Ehrenwort (*ᵘ*er) word of honor

ehrfürchtig respectful

eigentlich real, genuine

das Eigentum property

der Eigentümer owner

die Eignung (–en) suitability, talent

die Eile haste, hurry

eilig hasty

der Einarmige (–n) one-armed man

ein·büßen to lose, be deprived of

eindeutig unequivocal, unmistakable

der Eindruck (*ᵘ*e) impression

einerlei *indecl. adj.* all the same, immaterial

einerseits *adv.* on the one hand

einfach simple

ein·fahren * to drive in

der Einfall (*ᵘ*e) idea, notion

ein·fallen * to fall in, cave in; to occur (*to one's mind*)

ein·fangen * to catch, capture

ein·filzen: sich — *coll.* to ingratiate oneself

ein·flößen to infuse, inspire, pour into

die Eingabe (–n) petition

die Eingangspforte (–n) gate

eingefleischt dyed-in-the-wool

eingehend complete, exhaustive

eingekniffen pinched

einheimisch local, resident

einher·fahren * to drive along

ein·holen to catch up with

ein·laden * to invite

die Einladung (–en) invitation

ein·liefern to deliver, hand in

ein·marschieren to march in

ein·nehmen * to occupy

ein·packen to pack up

ein·reichen to hand in; to petition

ein·richten to furnish, arrange

ein·rollen to roll up

einsam alone, lonely

ein·schalten to insert; to switch on; to put in (*gear*)

ein·scharren to bury

ein·schenken to pour (*into a glass*)

die Einschiffung (–en) embarkation

ein·schlafen * to fall asleep

ein·schneiden * to cut into

ein·schüchtern to intimidate

ein·setzen to set in, insert

ein·sinken * to sink down

ein·sperren to lock up

einst *adv.* formerly, once

ein·steigen * to get in
eintönig monotonous
ein·treten * to enter; to take place
einverstanden *adj.* agreed
das Einverständnis (–se) agreement
die Einzahlung (–en) payment, deposit
einzeln single, lone
einzig single, solitary, unique
das Eisen iron
die Eisenbahn (–en) railway
eisern made of iron
eiskalt ice-cold
eitel vain, idle; pure
ekelhaft disgusting, repulsive
ekeln: sich — to be disgusted
elegant' elegant
die Eleganz' elegance
elektrisch electric
das Element' (–e) element
elend miserable
der Elephant' (–en) elephant
das Elfenbein ivory
die Elfengabe (–n) fairy gift
die Elfenhand (ᵘe) fairy hand
das Elixier' (–e) elixir
der Emigrant' (–en) emigrant
der Empfang (ᵘe) reception
empor·ziehen * to raise up
emsig diligent
die Energie' (–n) energy
enganliegend tight-fitting
der Engel angel
der Engländer Englishman
die Enkelin (–nen) granddaughter
enorm enormous
entbehren to do without
entblößen to bare, uncover
die Entdeckung (–en) discovery
entehren to dishonor

entfalten to unfold
entfernen to remove; entfernt distant
entgegen toward, against
entgegen·blicken to look toward, face
entgegen·kommen * to meet
entgegen·nehmen * to accept, receive
entgehen * to escape
entkommen * to escape
entkorken to uncork
entlang along
entreißen * to wrest away from
entringen * to break forth
entscheiden * to decide
die Entscheidung (–en) decision
entschleiern to unveil
der Entschluß (ᵘe) decision
die Entschlußkraft (ᵘe) power of decision
entschuldigen to excuse, pardon
entsetzt horrified
entsichern to snap off the safety catch of (*a gun*)
entspannen to relax
die Entspannung (–en) relaxation
entsprechen * to correspond
die Enttäuschung (–en) disappointment
entwickeln to develop
entwürdigt disgraced
entziffern to decipher
entzückend charming, delightful
entzünden to light, set ablaze
erbarmen to pity
erbarmungslos pitiless
erbeben to shudder, tremble
erbleichen (i, i) to grow pale
erblicken to see, catch sight of

das **Erdengewimmel** creatures swarming on earth
das **Ereignis** (–se) event, happening
erfahren * to experience, find out
erfinden * to invent
erforschen to investigate, examine
erfüllen to fulfill
ergänzen to supplement
ergebenst most humbly
ergreifen * to grasp, seize, take up
erhaben exalted, noble
die **Erhaltung** preservation
erheben * to raise; sich — to rise
erheitern to amuse
die **Erheiterung** (–en) pleasure, amusement
erhöht raised, elevated
erholen: sich — to recover
die **Erinnerung** (–en) remembrance, memory
erkämpfen to acquire by fighting
erkennen * to recognize
die **Erkenntnis** (–se) recognition, understanding
die **Erklärung** (–en) explanation
erkoren chosen
die **Erlaubnis** permission
erleben to experience
erledigen to finish, settle
die **Erleichterung** (–en) relief, lightening
erleuchten to illuminate
erlösen to release, deliver, rescue
ermannen: sich — to recover, pull oneself together
ermorden to murder
ernennen * to appoint
erniedrigen to lower, debase
die **Erniedrigung** (–en) debasement, dejection

ernst serious, earnest
erprobt tested, tried
erregen to excite, arouse
erreichen to reach, attain
errichten to establish
erschallen to sound, resound
erscheinen * to appear
erschießen * to shoot dead
erschöpfen to exhaust
erschrecken (erschrak, erschrokken; *also weak*) to frighten
erschüttern to shock, shake, convulse
ersparen to spare; to save
die **Erstarrung** stiffness
erstaunen to be astonished
erstaunlich astonishing
ersticken to choke, suffocate
erteilen to hand out, give, distribute
ertragen * to bear, stand
der **Ertrunkene** (–n) drowned man
erwarten to await, expect
erwerben (a, o) to gain, procure, acquire
erwiesenermaßen *adv.* according to the evidence
erwischen to catch, nab
die **Erzählung** (–en) tale, narrative
die **Erzeugung** production
erziehen * to raise, educate
die **Eselei'** (–en) folly, piece of foolishness
das **Eßpaket** (–e) package of food
etabliert established
ewig eternal
die **Ewigkeit** (–en) eternity
das **Exil'** (–e) exile
die **Existenz'** (–en) existence

exotisch exotic, foreign
der Expert' (-en) expert
die Explosion' (-en) explosion
der Extermina'tor (-en) exterminator

der Fachmann (*pl.* Fachleute) expert
fachmännisch *adj.* expert
der Faden (*⁐*) thread
fahren (u, a) to ride, drive; fahr wohl farewell
der Fahrer driver, chauffeur
das Fahrrad (*⁐*er) bicycle
das Faktum (*pl.* Fakten) fact
der Fall (*⁐*e) case, instance
die Falle (-n) trap
falsch false, wrong
die Falte (-n) fold, wrinkle
falten to fold, wrinkle
die Fanfa're (-n) fanfare
färben to dye
das Farnkraut (*⁐*er) fern
die Fassa'de (-n) façade, front
fassen to seize, grasp; sich — to compose oneself
faszinieren to fascinate
fauchen to sputter, spit, hiss
faul rotten; lazy
die Faust (*⁐*e) fist
der Fauteuil' (-s) armchair
federleicht light as a feather
federnd springy, agile
fehlen to be lacking, be absent
feierlich solemn
der Feind (-e) enemy
das Feindland (*⁐*er) hostile country
das Feingefühl tact, sense of refinement
das Feld (-er) field

die Feldflasche (-n) canteen
der Feldgendarm (-en) (*soft* g) military policeman
der Feldgraue (-n) wearer of a field-gray uniform, German soldier
der Feldherrnblick (-e) eye of a general
die Feld'uniform (-en) field uniform
der Feldwebel first sergeant
der Fensterladen (*⁐*) shutter
die Fensterscheibe (-n) windowpane
fern far; ferner moreover
festgefahren stalled, stuck
fest·halten * to hold fast, hold firm
die Festigkeit firmness
festlich festive
die Festungsartillerie' fort artillery
fett fat
fiebern to be feverish
fiedeln to fiddle
der Film (-e) film
der Filmstar (-s) film-star
finanzieren to finance
das Finanz'wesen financial affairs
das Findelkind (-er) foundling
findig resourceful, ingenious
der Fingernagel (*⁐*) fingernail
finster dark, gloomy
der First (-e) gable
die Fischerbarke (-n) fishing-boat
der Fischkopf (*⁐*e) fish-head
fixieren to fix, stare at
die Flamme (-n) flame
flammen to flame
flankieren to flank, stand by
die Flasche (-n) bottle
flatternd flying, wind-blown
der Fleck (-e) spot

flehen to implore
die **Fliege** (–n) fly
der **Fliegenschiß** (–e) flyspeck
der **Flieger** aviator
flimmern to flicker
die **Flotte** (–n) fleet, navy
der **Fluch** (⸗e) curse
die **Flucht** (–en) flight, escape
der **Flüchtling** (–e) fugitive, refugee
die **Flüchtlingsgruppe** (–n) group of fugitives
das **Flugzeug** (–e) airplane
fluktieren to fluctuate, circulate
der **Flußlauf** (⸗e) stream
flüstern to whisper
der **Fond** (–s) rear
fordern to demand; to challenge
die **Forderung** (–en) demand, requirement, challenge
formell' formal
formvollendet perfect in form, polished
fort·scheren to get out
fort·schicken to send away
fort·weisen * to turn away, send away
fort·werfen * to throw away
der **Fragebogen** questionnaire
der **Franc** (–s) franc (*French monetary unit*)
Frankreich France
die **Franzö'sin** (–nen) Frenchwoman
franzö'sisch French
die **Frauenschönheit** (–en) feminine beauty
die **Frauenstimme** (–n) woman's voice
die **Freiheit** (–en) liberty, freedom

der **Freiheitskampf** (⸗e) battle for freedom
der **Freiheitskämpfer** fighter for freedom
freilich *adv.* to be sure
freimütig liberal
frei·sprechen * to acquit
freiwillig voluntary
fremd strange
die **Fremde** (–n) strange woman; foreign country
freudig joyous, happy
freundlich friendly, amiable
frevelhaft criminal, disgraceful
der **Friede** (*gen.* –ns) peace
friedfertig peaceful
friedlich peaceful
frivol' frivolous
fröhlich happy
fromm pious, good
die **Front** (–en) front
das **Frühstück** (–e) breakfast
der **Führer** leader, guide, chauffeur
füllen to fill
die **Fünfzigerin** (–nen) woman of fifty years
der **Funke** (–n) spark
funkelnagelneu brand-new
der **Funkspruch** (⸗e) radio message
funktionieren to function, work
die **Furchtlosigkeit** fearlessness
die **Fürsorge** (–n) care, welfare
der **Fürst** (–en) prince
der **Fußtritt** (–e) kick
das **Futteral'** (–e) case, box

gähnen to yawn
gallisch Gallic, French
der **Gang** (⸗e) gear (*of an automobile*), walk

die **Gans** (ᴈe) goose
die **Garage** (–n) (*second g soft*) garage
die **Garantie'** (–n) guarantee
die **Gardi'ne** (–n) curtain
die **Gartenmauer** (–n) garden wall
das **Gas** (–e) gas
der **Gashebel** accelerator
der **Gasolintank** (–s) gas-tank
der **Gatte** (–n) husband
der **Gaul** (ᴈe) horse
gebannt fascinated
die **Gebärde** (–n) gesture
die **Gebärtüchtigkeit** fitness for motherhood
das **Gebet** (–e) prayer
das **Gebombe** bombing
geboren born
gebühren to be due
das **Gebüsch** (–e) bush
der **Gedanke** (–ns, –n) thought
der **Gedankensprung** (ᴈe) sudden notion
gedankenvoll thoughtful
gedenken * to intend; *with gen.* to think of, remember
das **Gedränge** crowd, throng
die **Gefahr** (–en) danger
gefährden to endanger
das **Gefährt** (–e) vehicle
gefällig pleasing; **gefälligst** *adv.* if you please
der **Gefangene** (–n) prisoner
das **Gefangenenlager** prison-camp
das **Gefiedel** fiddling
die **Gegenoffensi've** (–n) counter-offensive
der **Gegensatz** (ᴈe) opposite
das **Gegenteil** opposite, contrary
der **Gegenvorschlag** (ᴈe) counter-proposal

der **Gegner** opponent
das **Gehaben** behavior
geheim secret
der **Geheimdienst** (–e) secret service
das **Geheimnis** (–se) secret
der **Gehilfe** (–n) assistant
gehorchen to obey
gehorsam obedient
die **Gehörsstörung** (–en) disturbance of hearing
die **Geige** (–n) violin
der **Geigenkasten** (ᴈ) violin case
der **Geisel** (–s, –n) hostage
der **Geist** (–er) spirit
die **Geistesart** (–en) character, spirit
das **Geistesleben** intellectual life
geistig spiritual, spirituous
geistlich spiritual, clerical
das **Geknatter** clatter, banging
gelähmt paralyzed
gelangen to arrive; — **nach** to reach
gelassen calm, undisturbed
die **Gelassenheit** calmness
das **Geldstück** (–e) coin
die **Gelegenheit** (–en) opportunity
das **Gelegenheitsgeschäft** (–e) casual business deal
der **Gelehrte** (–n) learned man, scholar
das **Geleise** track
das **Gelenk** (–e) wrist *or* ankle joint
der, die **Geliebte** (–n) sweetheart
gellen to ring, resound
gelten (a, o) to count, be valid
gemäß according to
das **Gemäuer** masonry

die **Gemeinde** (–n) community, congregation
gemeingefährlich dangerous to the general public
gemeinsam together, in common
genau exact, accurate
die **Genauigkeit** exactness
der **Gendarm** (–en) (*soft g*) state policeman
die **Gendarmerie'** (*soft g*) state police force
der **General'** (⁎e) general
der **General'direktor** (–en) general manager
der **Generalmusik'direktor** (–en) conductor of a civic orchestra
der **General'stab** (⁎e) general staff
die **Genialität'** (–en) skill, genius
das **Genie'** (–s) (*soft g*) genius
der **Genie'blitz** (–e) (*soft g*) flash of genius
der **Genie'streich** (–e) (*soft g*) stroke of genius
der **Genius** genius
genug enough
genügen to suffice
der **Genuß** (⁎e) pleasure, enjoyment
genußvoll appreciative
die **Geographie'** geography
das **Gepäck** baggage
das **Gepäckstück** (–e) piece of baggage
die **Gerätschaft** (–en) utensil
das **Geräusch** (–e) sound, noise
gerecht just
die **Gerechtigkeit** justice
das **Gerede** talk
das **Gericht** (–e) court, judgment; das **Jüngste** — the Last Judgment

gering little (*in quantity*)
germanisch Germanic
das **Gerücht** (–e) rumor
geruhen to deign, condescend
der **Geschäftemacher** profiteer
der **Geschäftsmann** (*pl.* Geschäftsleute) businessman
gescheit intelligent, clever
das **Geschenk** (–e) gift
das **Geschlecht** (–er) sex; gender; race; family
das **Geschleppe** dragging
geschliffen polished
das **Geschöpf** (–e) creature
das **Geschütz** (–e) artillery piece
die **Geschwindigkeit** (–en) speed
die **Gesellschaft** (–en) company
gesetzlich legal
gesetzt dignified, sedate
der **Gesichtsmuskel** (–s, –n) facial muscle
gesonnen inclined, minded
das **Gespenst** (–er) ghost
gespenstisch ghostly
die **Gestalt** (–en) form, figure
der **Gestapobeamte** (–n) official of the Gestapo
gestatten to permit
gestehen * to confess
das **Gesuch** (–e) request
die **Gesundheit** health
getarnt concealed, disguised
das **Getränk** (–e) beverage
das **Getrappel** tramping sound
gewahren to perceive
das **Gewehr** (–e) rifle
gewiegt experienced
gewinnen (a, o) to win
gewiß certain, sure
gewissenlos unscrupulous
gewissermaßen *adv.* so to speak

das Gewitter thunderstorm

gewöhnlich common, ordinary

gewohnt accustomed

die Gewundenheit formalism, awkwardness in speech

gezwungenermaßen *adv.* involuntarily, under compulsion

gießen (o, o) to pour, cast

das Gift (-e) poison

giften: sich — to be angry, rage

das Gitterbett (-en) cage-bed (*used for violent insane*)

der Glanz gleam, splendor

glänzend gleaming, splendid

glasig glassy

die Glatze (-n) bald head

der Glaube (-ns, -n) belief, faith

gleichen (i, i) to resemble

gleichgültig indifferent

das Glied (-er) limb, member; rank

die Glocke (-n) bell

der Glockenschlag (ᴗe) stroke of a bell

glücklich fortunate, lucky, happy

der Glückspilz (-e) lucky fellow

der Glückwunsch (ᴗe) congratulation

die Glühbirne (-n) incandescent bulb

glühen to glow, burn

die Gnade (-n) mercy, grace

gnädig gracious

die Goldkette (-n) gold chain

der Gönner benefactor

der Graben (ᴗ) ditch

die Grabesstimme (-n) sepulchral voice, hollow voice

der Grad (-e) degree

der Graf (-en) count

das Grammophon' (-e) phonograph

grandios' grand, grandiloquent

der Granit' granite

grau gray

das Grauen horror

grausam cruel

graziös' graceful

greifen (griff, gegriffen) to grasp, reach

der Greis (-e) aged man

grell bright

die Grenze (-n) boundary, border, limit

der Greuel horror

griechisch Greek

grimmig furious, grim

der Grog hot toddy

grollen to growl, grumble

der Großmut generosity, magnanimity

großmütig generous, magnanimous

der Grund (ᴗe) ground; reason; bottom

der Grundaufenthaltsort (-e) basic place of residence

gründen to found

die Gruppe (-n) group

die Gummizelle (-n) padded cell

die Gunst favor

günstig favorable

der Günstling (-e) favorite

die Gurgel (-n) throat

da Gut (ᴗer) estate

die Gutartigkeit gentleness

das Gutdünken judgment, opinion

die Güte kindness

gütig kind, generous

der Gutsherr (-en) landowner, squire

die **Habseligkeit** (–en) belonging
der **Hafen** (ӓ) harbor
das **Hafencafé** (–s) waterfront café
die **Hafenstraße** (–n) waterfront street
die **Hafenwache** (–n) harbor police
der **Hafer** oats
hager lean, scrawny
der **Hahn** (ӓe) rooster
der **Halbkreis** (–e) semicircle
halblaut in an undertone
der **Halbmond** (–e) half-moon
das **Haltkommando** (–s) command to halt
haltlos limp, without restraint
die **Haltung** (–en) posture, composure, conduct
hämisch malicious
handeln to act; to bargain
das **Handicaprennen** steeplechase
der **Handkarren** pushcart
die **Handlung** (–en) action
der **Handschuh** (–e) glove
die **Handtasche** (–n) satchel, valise
hantieren to work, be at work
harmlos harmless
hart hard
das **Haupt** (ӓer) head; **zu Häupten** above
das **Hauptquartier** (–e) headquarters
die **Hauptsache** (–n) main thing
die **Hauptstraße** (–n) main highway
der **Haupttreffer** first prize, good fortune
das **Hausfrauennetz** (–e) shopping-bag
haushoch high as a house
das **Haushaltungsbuch** (ӓer) domestic account-book

häuslich domestic
der **Hausrat** household goods
der **Havelock** (–s) ulster; **havelockartig** ulsterlike
hazardieren to gamble
der **Hebel** lever
heben (o, o) to raise, lift
der **Heeresbericht** (–e) official army bulletin
heftig violent
hegen to foster, nourish
heilig holy; **der Heilige** Saint
die **Heilung** (–en) cure, healing
heimatlich native
die **Heimatlosigkeit** homelessness
heimlich secret
die **Heimstätte** (–n) home
heiraten to marry
heiser hoarse
heiter cheerful
die **Heiterkeit** cheerfulness
heizen to heat; to make a fire
der **Held** (–en) hero
hell bright
hellgelb light-yellow
das **Hemd** (–en) shirt
herab·gelangen to arrive down, reach down
herab·hängen * to hang down
heran·treten * to step close
heraus·finden * to find out
heraus·fordern to challenge
heraus·schleppen to drag out
heraus·stellen: *refl. imp.* **es stellt sich heraus** it develops
herbei·eilen to hurry to the scene
der **Hereinfall** (ӓe) failure
herein·fallen * to be rooked, be cheated; to be taken in by (*dative without prep.*)
der **Hering** (–e) herring

der **Herrenreiter** amateur racing rider
her·richten to prepare
die **Herrschaften** *pl.* ladies and gentlemen
herrschen to rule, govern; to exist
her·schaffen to get, procure
herunter·leiern to recite, rattle off
herunter·leiten to lead down, bring down
hervor·treten * to step out
hervor·ziehen * to pull out
das **Herzklopfen** palpitations of the heart
herzkrank afflicted with heart-disease
herzlich hearty
herzlos heartless
herzzerbrechend heart-breaking
das **Heu** hay
heulen to howl
heutzutage *adv.* nowadays
die **Hilfe** help
der **Hilferuf** (–e) cry for help
die **Hilfsbereitschaft** helpfulness
hinaus·befördern to transport out
hinaus·lassen * to let out
hinaus·schaffen to take out, carry out
hinaus·tragen * to carry out
hindern to prevent, hinder
das **Hindernis** (–se) obstacle
hingegen *adv.* on the other hand
hin·hauen: sich — *slang* to lie down to sleep, flop
hin·knieen to kneel down
hin·machen to kill
hin·schauen to look
hin·schmelzen (o, o) to melt away
der **Hintergrund** (ᴤe) background
der **Hintersitz** (–e) rear seat

hinweg·fahren * to drive away, drive along
hinweg·gehen * über to pass over, disregard
hin·werfen * to throw down
der **Historiker** historian
historisch historical
hochgelegen situated high up
hoch·heben * to raise up
hochindustrialisiert highly industrialized
der **Hochsommer** hottest part of summer
hoch·stecken to pin up
hoch·stellen to put up, turn up
hochwertig valuable
hochwürdig reverend
hocken: sich — to squat, sit
der **Hof** (ᴤe) courtyard
hoffentlich *adv.* it is to be hoped
hoffnungslos hopeless
höflich polite
die **Höflichkeit** (–en) courtesy
hoheitsvoll lofty, dignified
hohl hollow
der **Hohn** scorn, mockery
höhnisch scornful, sneering
hohnlachend laughing scornfully
die **Hölle** (–n) hell
die **Holzbank** (ᴤe) wooden bench
der **Horchposten** listening-post
der **Horizont'** (–e) horizon
die **Hornbrille** (–n) horn-rimmed glasses
das **Hotelzimmer** hotel room
das **Huber'tusrennen** race on St. Hubert's Day
hübsch pretty
die **Hüfte** (–n) hip
der **Hügelzug** (ᴤe) chain of hills

das **Huhn** (ᴂer) chicken
der **Hühneraugenoperateur** (–e) chiropodist
die **Hupe** (–n) auto horn
die **Hure** (–n) whore
husten to cough
der **Husten** cough
die **Hutschachtel** (–n) hat-box
das **Hutschepferdchen** *coll.* hobby-horse
hypnotisieren to hypnotize
hysterisch hysterical

der **Ichthyosaurus** ichthyosaurus
die **Idee'** (–n) idea, notion
identifizierbar identifiable
identisch identical
die **Identitäts'karte** (–n) identification card
der **Idiot'** (–en) idiot
idiotisch idiotic
illegal' illegal
die **Illusion'** (–en) illusion
immerhin at any rate
imstande sein to be capable of
der **India'nerpfad** (–e) Indian path, secret path
indirekt' indirect
die **Infanterie'** infantry
infizieren to infect
der **Inhalt** contents
die **Initiati've** initiative
die **Injektion'** (–en) injection
der **Inländer** native
inne·haben to hold, occupy
innen inside, inner
insbesondere *adv.* particularly
die **Inspiration'** (–en) inspiration
inspirieren to inspire
die **Instruktion'** (–en) instruction

das **Instrument'** (–e) instrument
der **Intellektuel'le** (–n) intellectual
die **Intelligenz'** intelligence
intensiv' intensive
interessant' interesting
interessieren to interest
international' international
das **Intervall'** (–e) interval
die **Intervention'** (–en) intervention
inzwischen meanwhile
irdisch earthly
irgendwer someone
irregulär' irregular
die **Irrenanstalt** (–en) insane-asylum
der **Irrenwärter** attendant for the insane
die **Irrfahrt** (–en) wandering
irritieren to irritate
der **Irrtum** (ᴂer) error, mistake
israelitisch Jewish
italie'nisch Italian

die **Jacke** (–n) jacket
jagen to chase, hunt
jäh sudden
das **Jahrhundert** (–e) century
der **Jammer** grief, sorrow; lament
jammern to lament, weep
der **Jazz** (*pron.* yats) jazz
jedenfalls at any rate, in any case
jedoch however
Jot (the letter) J
der **Jubelgreis** (–e) very old man
Juda Judah
der **Jude** (–n) Jew
jüdisch Jewish
jugendlich youthful
der **Julklotz** (ᴂe) yule log

die Jungfer (–n) maid
die Jungfrau (–en) virgin
der Junker aristocrat

der Kada'ver cadaver, corpse
kahl bare
kahlgefressen denuded, eaten bare
die Kamera (–s) camera
der Kamerad' (–en) comrade
der Kamin' (–e) mantel, fireplace
der Kamm (¨e) comb
die Kammermusik' chamber music
kämpfen to fight
der Kämpfer fighter
das Kaninchen rabbit
der Kanniba'le (–n) cannibal
der Kapitän' (–e) captain (*naval*)
die Kappe (–n) cap
der Karabi'ner carbine
die Karos'se (–n) chariot, coach
die Karte (–n) card; map
da.. Karussell' (–s) merry-go-round
die Kassa (*pl*. Kassen) cash-box;
  per Kassa for cash
die Kasset'te (–n) cash-box, pocketbook
der Kastellan' (–e) chatelain
der Kasten (¨) box
die Katastro'phe (–n) catastrophe
der Katholik' (–en) Catholic
kauen to chew
das Käuzchen hoot-owl
die Kavallerie' cavalry
der Kavallerist' (–en) cavalry soldier
der Kavalier' (–e) cavalier, nobleman
der Kegelklub (–s) bowling-club
keineswegs *adv.* by no means, not
  at all

der Keller cellar
die Kellertür (–en) cellar door
der Kellner waiter
der Kenner connoisseur, expert
die Kenntnis (–se) knowledge, information; zur — nehmen to
  take into account
die Kerze (–n) candle
das Kerzenlicht candle-light
keuchen to pant
kiebitzen *slang* to look on, kibitz
das Kino (–s) motion-picture theater
der Kiosk (–s, –en) pavilion
die Kirchenuhr (–en) church
  clock
kläffen to bark, yelp
klappern to rattle
klapprig rattling, decrepit
klassisch classical
kleiden to dress, clothe
die Kleidung clothing
die Kleinigkeit (–en) trifle
die Klema'tis wisteria
klemmen to squeeze, pinch, cramp
die Kletterrose (–n) rambler rose
die Klinik (–en) clinic
klinisch clinical
klirren to jingle, clatter
der Klub (–s) club
knallen to crack, resound
der Knebelbart (¨e) waxed beard,
  imperial
knirschen to grind one's teeth
der Knoten knot
die Kochkunst (¨e) art of cooking
der Koffer trunk
das Kohlenbergwerk (–e) coal-
  mine
das Kohlenschiff (–e) collier
kokett' coquettish

die Kokotte (–n) harlot
der Kolle'ge (–n) colleague
kollern to roll
die Kolon'ne (–n) column
kombiniert combined
der Komfort' comfort, ease
komforta'bel comfortable
komisch comical, peculiar
das Komitee' (–s) committee
die Kommandantur' (–en) headquarters
kommandieren to command
das Kommando (–s) command
die Kommission' (–en) commission
der Kommunist' (–en) Commu-
nist
die Komö'die (–n) comedy
komplett' filled up
das Kompliment' (–e) compliment
konfiszieren to confiscate
die Königin (–nen) queen
das Konsulat' (–e) consulate
das Konto (–s) account
kontrollieren to check; to supervise
der Konzentrations'lager concentration camp
das Konzert' (–e) concert
kopfhängerisch despondent,
gloomy
kopfschüttelnd shaking one's head
der Korb (#e) basket
der Korkenzieher corkscrew
das Körnchen grain
körperlich physical, bodily
die Korrespondenz' (–en) corre-
spondence
die Korruption' corruption
kostbar valuable
kotbespritzt mud-spattered
der Kotflügel mudguard, fender

das Kraftwerk (–e) generator,
powerhouse
die Kralle (–n) claw
der Krämergeist tradesman's spirit
krank sick
kränken to offend
kratzen to scratch; to irritate
der Kratzer scratch
das Kraushaar (–e) curly hair
kreideweiß white as chalk
der Kreis (–e) circle
das Kreuz (–e) cross; ein —
schlagen to make the sign of the
cross
kreuzen to cross
kriechen (o, o) to crawl
kriegerisch warlike
der Kriegsblinde (–n) war-blind
das Kriegsgefangenenlager prison-
er-of-war camp
das Kriegsgericht (–e) court mar-
tial
die Krücke (–n) crutch
krümmen to bend, curve; ein Haar
— to injure, molest
der Krüppel cripple
die Küche (–n) kitchen
der Küchenvorhang (#e) kitchen
curtain
der Kugelwechsel exchange of
bullets
kühl cool
kühn bold
kulina'risch culinary
die Kulis'se (–n) scenery (in a theater)
die Kultur' (–en) culture
kümmern to concern
künftig coming, future
das Kunstwerk (–e) work of art
die Kuppel (–n) dome

das **Kursbuch** (ᵘer) railway time-
table
die **Kurve** (–n) curve
küssen to kiss
die **Kußhand** (ᵘe) blown kiss
die **Küste** (–n) coast
die **Küstenstraße** (–n) coast road
die **Kutte** (–n) cowl

lächerlich laughable, absurd
der **Lack** lacquer, nail-polish
laden (u, a) to load, charge; to invite
die **Lage** (–n) situation
das **Lagerverzeichnis** (–se) storage
list
das **Lamento** (–s) lament
der **Lampion'** (–s) Chinese lantern
landen to land
ländlich rural, rustic
die **Landschaft** (–en) landscape
der **Landsmann** (*pl.* Landsleute)
fellow countryman
die **Landstraße** (–n) road
die **Landung** (–en) landing
die **Landungstreppe** (–n) landing-
step
langbewimpert with long eye-
lashes
läppisch foolish, silly
die **Last** (–en) burden, weight
das **Lastauto** (–s) truck
der **Lastwagen** truck
die **Later'ne** (–n) lantern
lauschen to listen
läuten to ring
der **Lautsprecher** loudspeaker
leben'dig alive, living
das **Lebensblut** blood of life
das **Lebensende** (–n) end of life
der **Lebenslauf** (ᵘe) career of life

der **Lebensmut** courage to live
das **Lebensrecht** right to life
der **Lederbeutel** leather bag
die **Lederjacke** (–n) leather jacket
leer empty
leeren to empty
legal' legal
legitimieren to identify
der **Leib** (–er) body
die **Leibspeise** (–n) favorite dish
der **Leichnam** (–e) corpse
leicht light, easy; irresponsible
der **Leichtsinn** carelessness, frivol-
ity
leichtsinnig careless, carefree, frivolous
das **Leid** (–en) grief, sorrow
leidenschaftlich passionate
die **Leidenschaftlichkeit** (–en) pas-
sion
leihen (ie, ie) to loan, lend; to
borrow
leise soft (*not loud*)
leisten to furnish, provide, offer
die **Leiter** (–n) ladder
lenken to guide, drive
der **Leutnant** (–s) lieutenant
das **Lichtsignal'** (–e) light signal
die **Liebe** love
liebenswürdig amiable, kind
liebevoll loving
der **Liebhaber** lover; amateur
lieblich lovely
der **Liebling** (–e) favorite, darling
liefern to furnish, provide
die **Limousi'ne** (–n) limousine
die **Linie** (–n) line
die **Liste** (–n) list
die **Litanei'** (–en) litany
das **Loch** (ᵘer) hole; **Löcheln** *coll.*
dim. pl.

lockern to loosen, release
der Lockruf (–e) cry of allurement
die Logik logic
der Logiker logician
das Lokal' (–e) shop; restaurant
losen to draw lots
lösen to loosen, release
los·lassen * to let go
los·reißen * to tear away
los·ringen * to struggle to free
los·werden * to get rid of
das Luder *vulg.* carrion, crow-bait
die Luft (ᴗe) air
der Luftangriff (–e) air raid
der Luftschutz aerial defense
der Luftschutzkeller air-raid shelter
die Luke (–n) porthole, small window
der Lump (–en) scoundrel, crook
lumpig ragged, paltry
die Lust (ᴗe) pleasure, joy
die Lustbarkeit (–en) amusement
lustig merry, cheerful

mächtig mighty, powerful
magisch magic
das Magma dregs, residue; spirit
der Maharadscha (–s) maharajah
der Maimorgen morning in May
die Majestät' (–en) majesty
manchmal sometimes
die Mane'ge (–n) (*soft g*) riding-rink
die Männerstimme (–n) male voice
männlich male, masculine
die Mannschaft (–en) body of men, crew, man-power
der Mantel (ᴗ) coat
die Mappe (–n) portfolio
das Märchen fairy-tale

der Marschall (ᴗe) marshal
marschieren to march
die Marschkolonne (–n) marching column
der Marschtritt (–e) marching step
das Maschinengewehr (–e) machine-gun
das Maschinengewehrfeuer machine-gun fire
die Mascot'te (–n) mascot
die Maske (–n) mask, expression
die Masse (–n) mass, crowd, mob
der Masseur' (–e) masseur, rubber
die Maßgabe (–n) criterion
der Mast (–es, –en) mast
das Material' (–ien) material
die Mathematik' mathematics
mathematisch mathematical
die Matra'tze (–n) mattress
matt faint, weak
das Maul (ᴗer) mouth (*of an animal; vulgarly of persons*)
maulen to yelp, mewl
mausetot dead as a doornail
mausig: sich — machen *coll.* to be impertinent
mecha'nisch mechanical
der Mechanis'mus mechanism
meckernd with a cackling laugh
medizi'nisch medical
die Meile (–n) mile
der Meilenstein (–e) milestone
die Meistererzählung (–en) prize narrative
melancho'lisch melancholy
die Melodie' (–n) melody
der Menschenfresser cannibal
der Menschenverstand common sense
die Menschenwürde human dignity

die Menschheit (-en) humanity, mankind

menschlich human

die Menschlichkeit humanitarianism

merken to note, notice; sich —- to take notice, remember

die Messe (-n) Mass (*church service*)

miauen to mew

der Mieter renter

mild mild

das Militär' military

milita'risch military

die Militärperson' (-en) member of the armed forces

mimisch mimic

mindestens at least

die Mine (-n) mine, explosive

die Minimal'forderung (-en) minimum requirement

der Mini'ster cabinet officer

das Ministe'rium (*pl*. Ministerien) ministry

der Mini'sterpräsident' (-en) prime minister

der Minori'tenmönch (-e) Minorite monk

mischen to mix

mißachten to disregard

die Mißbildung (-en) malformation

der Missetäter evildoer

die Mission' (-en) mission

mißliebig unpopular

mißtrauisch suspicious

der Mitarbeiter co-worker

mit·bringen * to bring along

das Mitglied (-er) member

das Mittelalter Middle Ages

der Mittelfinger middle finger

die Mittelphrase (-n) middle phrase

mitten *adv*. in the midst, in the middle

mittler middle

mittlerweile meanwhile

mit·wandern to wander along

die Möbel *pl*. furniture

der Möbelwagen furniture van

das Modell' (-e) model

modelliert modeled, formed

modern' modern

die Modistin (-nen) modiste, milliner

die Möglichkeit (-en) possibility

die Mole (-n) jetty, pier

der Mond (-e) moon, month

das Mondlicht moonlight

monogam' monogamous

das Mono'kel monocle

monologisieren to speak a monologue

monoton' monotonous

die Monotonie' monotony

das Moor (-e) swamp

das Morgengrauen dawn

das Morgenlicht dawn

das Morsezeichen Morse signal; *pl*. Morse code

mosaisch Jewish

der Motor' (-s, -en) motor

das Motor'boot (-e) motorboat

die Motor'haube (-n) hood

motorisieren to motorize

der Motor'mann (¨er) man on a motorcycle

das Motor'rad (¨er) motorcycle

muffig stuffy

die Mumie (-n) mummy

München Munich

die **Mundharmonika** (–s) mouth-organ

die **Mündung** (–en) mouth (*of a stream, street, gun*)

murmeln to murmur

murren to grumble, mutter

mürrisch grumbling, ill-tempered

das **Museum** (*pl.* Museen) museum

musika′lisch musical

der **Musik′automat** (–en) music-box, juke-box

der **Mu′siker** musician

die **Mu′sikermähne** (–n) bushy hair of a musician

der **Muskel** (–s, –n) muscle

mutig courageous

mutterseelenallein completely alone

nach·blicken to look after

nachdenklich thoughtful

der **Nachdruck** emphasis

nach·folgen to follow

der **Nachfolger** successor

die **Nachforschung** (–en) investigation

nach·lesen * to read up

nach·liefern to deliver after *or* in addition

nach·prüfen to examine, test, check

die **Nachricht** (–en) message

nach·rufen * to call after

nach·schauen to look after, search

nach·sehen * to examine, inspect

die **Nachsicht** indulgence, forbearance

das **Nachspiel** (–e) sequel, postlude

nach·suchen um to seek, look for, petition for

das **Nachtjäckchen** bed-jacket

nächtlich nightly, nocturnal

nackt naked

näher·dröhnen to drone nearer

näher·heulen to roar closer

nähern: sich — to approach

näher·röhren to roar nearer

die **Nahrung** food

naiv unsophisticated, simple

nämlich namely

der **Narr** (–en) fool

naschhaft fond of candy, covetous

die **Nase** (–n) nose

national′ national

das **National′fest** (–e) national holiday

die **Nationalität′** (–en) nationality

der **National′stolz** national pride

die **Natur′** (–en) nature, character

das **Naturell′** nature, disposition

natür′lich natural

der **Nebel** fog

der **Nebeldampf** (–e) fog-cloud

der **Nebentisch** (–e) adjoining table

nebligunsichtbar foggy and invisible

der **Neger** Negro

neigen to bow; to incline, tend

der **Nervenkrieg** (–e) war of nerves

nervös′ nervous

die **Nervosität′** nervousness

das **Nest** (–er) nest; village

nesteln to unfasten, remove

nett nice, neat

das **Netz** (–e) net

der **Neugeborene** (–n) newborn infant

neugierig curious

der **Nichtarier** non-Aryan

nicken to nod

nieder·ducken to duck down

niedergeschlagen dejected
die Niederlage (–n) defeat
nieder·rasseln to rattle down
nieder·setzen: sich — to sit down
niederträchtig contemptible
niedrig low
nobel elegant, generous
normal′ normal
der Notar′ (–e) notary
notariell′ certified by a notary
nötig necessary
notwendig necessary
die Notwendigkeit (–en) necessity
der Novembernebel November fog
die Nüchternheit sobriety
die Null (–en) zero
die Nummer (–n) number
nützen to be of use
nutzlos useless

das Oberhaupt (⸚er) chief, head
der Oberleutnant (–s) first lieutenant
der Oberst (–en) colonel
das Objekt′ (–e) object, property
obwohl although
die Occupation′ military occupation
der Offizier′ (–e) officer
der Offiziers′rucksack (⸚e) officer's knapsack
die Ohnmacht (–en) faint, weakness
die Ohnmächtige (–n) uncon-
scious woman
okkupieren to occupy (by military
force)
das Öl oil
ölen to oil
das Omen omen
ominös′ ominous

ondulieren to wave (hair)
die Oper (–n) opera
das Opfer victim, sacrifice
opfern to offer, sacrifice
der Optimist′ (–en) optimist
die Ordnung (–en) order
die Ordonnanz′ (–en) orderly
das Organ′ (–e) organ (of the
body)
organisieren to organize
die Örtlichkeit (–en) locality
der Ozean (–e) ocean

paarweise adv. in pairs
packen to seize, grasp; to pack
die Panik panic
der Panther panther
die Panzerdivision′ (–en) armored
division
das Papierbündel bundle of papers
der Papierfranc (–s) paper franc
der Papst (⸚e) pope
parallel′ parallel
die Parallelen pl. parallel lines
der Pariser Parisian
die Partei (–en) party (in a political or legal sense)
der Parteigenosse (–n) fellow
party-member
die Partie′ (–en) party, game
der Paß (⸚e) passport
der Passagier′ (–e) (soft g) passen-
ger
passen to fit
passieren to happen; to pass
pathetisch pathetic
der Patient′ (–en) patient
der Patriot′ (–en) patriot
die Patro′ne (–n) cartridge
die Patrouil′le (–n) patrol
patrouillieren to patrol

die **Pause** (-n) pause
peinlich painful, embarrassing; scrupulous
das **Pekine'serhündchen** Pekinese dog
der **Pelz** (-e) fur
pensionieren to pension, retire
persönlich personal
die **Persönlichkeit** (-en) personality
der **Pessimis'mus** pessimism
der **Pessimist'** (-en) pessimist
die **Pest** plague, pestilence
die **Pfeife** (-n) pipe; whistle
pfeifen (pfiff, gepfiffen) to whistle
der **Pfiff** (-e) whistle
das **Pflaster** pavement
pflegen to nurse, care for; to be accustomed to
die **Pflicht** (-en) duty
der **Pflichteifer** devotion to duty
pflichtgemäß according to one's duty
das **Pfund** pound
die **Phantasie'** (-n) imagination, fancy
das **Phlegma** unconcern
phlegma'tisch phlegmatic
die **Photographie'** (-en) photograph
pickfein *coll.* first-rate
das **Picknick** (-s) picnic
die **Pille** (-n) pill
pirschen: sich — to approach stealthily
der **Plaid** (-s) rug, blanket
der **Plan** (⁎e) plan
der **Planet'** (-en) planet
das **Planschbecken** paddling pool
plappern to chatter

die **Platte** (-n) platter; record (*phonograph*)
der **Plutokrat'** (-en) plutocrat
der **Pneudefekt** (-e) blow-out
pochen to knock
der, das **Pogrom'** (-e) **pogrom**
der **Pole** (-n) Pole
die **Politik'** politics
der **Poli'tiker** politician
die **Polizei'** police
der **Polizei'bericht** (-e) police report
der **Polizist'** (-en) policeman
polnisch Polish
pompös' pompous
populär' popular
der **Port** (-e) port
das **Portal'** (-e) doorway
die **Post** mail
der **Posten** post, place
das **Prachtgefühl** (-e) splendid feeling
prächtig splendid
der **Prachtladen** (⁎) exclusive *or* luxury shop
das **Prachtstück** (-e) fine specimen
die **Prädestination'** predestination
der **Präfekt'** (-e) prefect
prähistorisch prehistoric
praktisch practical
prall tight, stuffed
prangen to sparkle, shine, bloom
der **Präsident'** (-en) president
predigen to preach
pressen to press, squeeze
der **Preuße** (-n) Prussian
preußisch Prussian
der **Priester** priest
die **Prinzes'sin** (-nen) princess
das **Prinzip'** (-ien) principle
das **Problem'** (-e) problem

professionell' professional
das Profil' (–e) profile
der Protest' (–e) protest
provençalisch Provençal, from the South of France
die Provinz' (–en) province, country district
das Prozent' (–e) percentage
die Prüfung (–en) examination
der Psychia'ter psychiatrist
der Psycholo'ge (–n) psychologist
die Psychologie' psychology
psycholo'gisch psychological
das Publikum public, audience
der Punkt (–e) point, dot
pünktlich punctual, precise
pur pure
purpur purple, scarlet
der Purzelbaum (ᵘe) somersault
putzig *coll.* funny, quaint

quäken to squeak
die Qual (–en) torment
quälen to torture, torment
die Qualität' (–en) quality
das Quartier' (–e) quarters, lodging
die Quelle (–n) spring, source

das Rad (ᵘer) wheel; bicycle; tire
rad·fahren * to ride a bicycle
das Radio radio
ramponiert' *coll.* damaged
die Rarität' (–en) rarity
rasch fast
rasen to rage, rave
rasieren to shave
der Rasierpinsel shaving-brush
die Rasse (–n) race (*of people, animals*)
rasseln to rattle

das Rassenamt (ᵘer) bureau for racial research
der Rassenarier Aryan by race
die Rassenschande (–n) racial crime
raten (ie, a) to guess; to advise
das Rätsel riddle
rätselhaft mysterious, enigmatic
rattern to rattle
rauchen to smoke
räudig mangy
rauh rough, crude
der Raum (ᵘe) room, space
der Rausch (ᵘe) ecstasy, intoxication
rauschen to rustle, rush
die Razzia (–s) police raid
reagieren to react
rechnen to reckon, count
der Rechner accountant, mathematician
die Rechnung (–en) bill
die Rechtslage (–n) legal situation
die Rede (–n) ɔeech
der Redner orator
regelmäßig regular
der Regie'fehler (*soft g*) mistake in direction (*theatrical*)
die Regierung (–en) government
das Regiment' (–er) regiment
der Regiments'arzt (ᵘe) regimental surgeon
das Regi'ster list, register, document
der Regen rain
regnen to rain
die Regulation' (–en) regulation
regungslos motionless
reiben (ie, ie) to rub
die Reiberei' (–en) scrape, quarrel

reichen to hand, reach
reichlich ample, plenty
der Reichsangehörige citizen of a country
reif ripe, mature
reiflich mature
die Reiherfeder (-n) egret, heron's feather
das Reisenecessaire (-s) overnight bag
reißen (i, i) to tear, break
das Reiterauge (-n) cavalryman's eye
das Reiterhirn (-e) cavalryman's brain
reizen to provoke
reizend charming
die Religion' (-en) religion
rennen (rannte, gerannt) to run
das Rennen race
der Rennfahrer race driver
repräsentieren to represent
die Republik' (-en) republic
die Reserve (-n) reserve
das Reserverad (ᵘer) spare wheel or tire
reservieren to reserve
resolut' resolute
der Rest (-e) remainder
das Restaurant' (-s) restaurant
das Resultat' (-e) result
das Rettungsboot (-e) lifeboat
der Revolver revolver
das Rezept' (-e) prescription, recipe
rhythmisch rhythmical
rhythmisieren to give rhythm to
richten to direct; to judge
riechen (o, o) to smell
der Riemen strap
ringen (a, u) to wrestle, struggle

rings round about
ringsum round about
riskieren to risk
der Ritter knight
ritterlich chivalrous
röhren to roar, howl
der Rollbalken iron shutters (over display windows)
die Rolle (-n) role, part in a play
rollen to roll
der Röntgenblick (-e) X-ray eye
rosa pink
der Rosenkranz (ᵘe) rosary
rosig rosy
rot red
das Rote Kreuz Red Cross
der Rucksack (ᵘe) knapsack
die Rücksicht (-en) consideration, regard
ruckweise adv. by jerks
das Ruder oar
die Ruhe calm, peace, quiet
ruhig quiet, still
rühren to move, stir
die Rui'ne (-n) ruin, wreck
der Rumpelkasten (ᵘ) coll. rattletrap
rundgeschoren having a round haircut
rundlich roundish
der Russe (-n) Russian
russisch Russian
rüsten to prepare, arm
rütteln to shake

der Säbel saber
der Sabota'geakt (-e) (soft g) act of sabotage
die Sache (-n) thing, affair
der Sack (ᵘe) sack, bag; — und Pack bag and baggage

das **Sakrament'** (–e) sacrament
die **Sala'mi** salami sausage
salba'dern *slang* to prattle, prate
die **Salbung** unction
der **Salon'** (–s) parlor
salutieren to salute
die **Salve** (–n) salvo
die **Sanda'le** (–n) sandal
sanft gentle
die **Sanftmut** gentleness, humility
der **Sarg** (ᵘe) casket, coffin
sarkastisch sarcastic
die **Satisfaktion'** satisfaction (*by means of a duel*)
die **Satteltasche** (–n) saddlebag
der **Satz** (ᵘe) sentence
sauber clean
der **Säugling** (–e) infant
sausen to whiz
die **Schachtel** (–n) box
schade too bad, a pity
schaffen to create, produce; to move
schämen: sich — to be ashamed
der **Scharlatan'** (–e) charlatan
schattenhaft shadowy
schätzen to esteem
schauen to look
die **Schauerballade** (–n) horror ballad
das **Schaufenster** display window
die **Scheibe** (–n) disk, slice
der **Schein** (–e) gleam, shine; bill (*paper money*)
der **Scherz** (–e) jest, joke
scheu timid
scheuchen to scare
schicken to send; **sich** — to be appropriate
das **Schicksal** (–e) fate

schieben (o, o) to push, shove; *coll.* to wangle
schief crooked
das **Schiff** (–e) ship
der **Schiffskapitän'** (–e) captain of a ship
die **Schildwache** (–n) sentry
schimpfen to scold, abuse
die **Schindmähre** (–n) worthless horse, crow-bait
der **Schinken** ham
die **Schlacht** (–en) battle
die **Schlachtszene** (–n) battle scene
der **Schlafanzug** (ᵘe) nightdress
die **Schläfe** (–n) temple (*side of the head*)
schläfrig sleepy
der **Schlafsack** (ᵘe) sleeping-bag; dunce
der **Schlag** (ᵘe) blow
schlagen (u, a) to strike, beat; **sich** — to fight; **ein Kreuz** — to make the sign of the cross
der **Schlagring** (–e) brass knuckles
die **Schlange** (–n) snake; waiting-line
die **Schlauheit** (–en) cleverness, slyness
die **Schlechtigkeit** (–en) wickedness, evil
der **Schleier** veil
die **Schleife** (–n) ribbon
schleppen to drag
schleudern to hurl
schleunig *adv.* quickly
schließen (o, o) to close, lock; to conclude
schließlich finally
schlimm bad
schlimmstenfalls *adv.* in the most unfavorable case

das **Schloß** (=er) castle; lock
der **Schloßkastellan'** (–e) chatelain
schluchzen to sob, weep
der **Schluck** (–e) swallow
der **Schluß** (=e) end, conclusion
der **Schlüssel** key
schmählich disgraceful
schmal narrow, slim
der **Schmarotzer** parasite
der **Schmarren** bagatelle
schmerzen to pain, ache
schmiegen: sich — to nestle, press
  close
der **Schmuck** ornament, decoration, jewelry
schmücken to decorate
schmuggeln to smuggle
schmunzeln to smirk, grin
schmutzig dirty
der **Schnalzer** click
schnarrend rasping
schnaufen to snort
Schneewittchen Snowwhite
schneiden (schnitt, geschnitten) to
  cut
der **Schnellzug** (=e) fast train
schnurgerade straight as a string
die **Schokola'de** (–n) chocolate
die **Schokola'detafel** (–n) chocolate bar
schonen to spare
die **Schönheit** (–en) beauty
der **Schönheitssinn** sense of beauty,
  eye for beauty
die **Schonzeit** (–en) closed season
  for hunting
der **Schöpfer** creator
der **Schöpfungstag** (–e) day of cre-
  ation
der **Schoß** (=e) lap
die **Schramme** (–n) scratch

der **Schrank** (=e) closet, wardrobe
der **Schrankkoffer** wardrobe trunk
der **Schreck** (–en) terror, horror,
  shock
schreckensbleich pale with terror
das **Schreckenslager** horror camp
schrecklich frightful, terrible
der **Schrei** (–e) cry, scream
die **Schreiberei'** (–en) writing
schreiten (schritt, geschritten) to
  step
der **Schriftsteller** author
schrill shrill
der **Schritt** (–e) step
der **Schuhlöffel** shoe-horn
das **Schulbuch** (=er) schoolbook
schuldbewußt conscience-stricken
schuldig owing, indebted, to blame
die **Schuppenflechte** herpes (*skin
  disease*)
schütteln to shake
der **Schutz** protection
schützen to protect
die **Schutzfarbe** (–n) protective
  coloring, camouflage
der **Schützling** (–e) ward, protégé
die **Schutzscheibe** (–n) windshield
die **Schwäche** (–n) weakness
schwächen to weaken
der **Schwanengesang** (=e) swan-
  song
schwanken to sway, rock
schwärmen to rave, be enthusiastic
der **Schwarzseher** pessimist
schweben to hover, sway
schweigsam silent, taciturn
die **Schweinerei'** (–en) *coll.* mess
das **Schweinsgesicht** (–er) piglike
  face
der **Schweiß** sweat
der **Schweißausbruch** (=e) break-

ing out of sweat

schweißübergossen covered with sweat

schwermütig melancholy

schwierig difficult

die Schwierigkeit (–en) difficulty

schwindlig dizzy

schwingen (a, u) to swing

schwitzen to sweat

schwören (o, o) to swear

der Schwung (ᵘe) swing, swift motion

der Seegang motion of the waves

seekrank seasick

die Seekrankheit seasickness

die Seele (–n) soul

der Seelenkampf (ᵘe) inner struggle

der Segen blessing

die Sehnsucht longing

seiden silk

die Seidenborte (–n) silk braid

die Seitengasse (–n) side street

die Sekun'de (–n) second (of time)

die Selbstbeherrschung self-control

selbstgefällig complacent, pleased with oneself

der Selbstmörder suicide

selbstverständlich natural; adv. as a matter of course

selig blessed, joyous; deceased

seltsam strange

der Sender sender, radio station

senken to lower

die Sentenz' (–en) statement, epigram

die Serie (–n) series

servieren to serve (at table)

seufzen to sigh

der Seufzer sigh

die Sicherheit (–en) safety, security

die Sicherheitsnadel (–n) safety-pin

sichtbar visible

sichtlich visible, evident, plain

der Sieg (–e) victory

siegen to win, conquer

der Sieger victor

das Signal' (–e) signal

die Silbermedaille (–n) silver medal

die Silhouet'te (–n) silhouette

simpel simple

simulieren to pretend, play a part

sinken (a, u) to sink, drop

sinnlos absurd, meaningless

die Sinnlosigkeit (–en) nonsense, absurdity

die Sire'ne (–n) siren

der Sitz (–e) seat

der Sitzplatz (ᵘe) seat

die Situation' (–en) situation

das Skelett' (–e) skeleton

slawisch Slavic

skeptisch skeptical

soeben just now

sofort' at once, immediately

sogenannt so-called

der Soldat' (–en) soldier

der Solda'tenstiefel military boot

das Sommerfest (–e) garden party

sommerlich adj. summer

der Sommermonat (–e) summer month, June

die Somnambu'le (–n) sleepwalker

sonderbar queer, strange

der Sonnenaufgang (ᵘe) sunrise

der Sonnenuntergang (ᵘe) sunset

sonnenklar clear as crystal

sonnig sunny

der **Sonntagsausflügler** Sunday picnicker

die **Sorge** (–n) worry, care

sorgen to care; **sich — um** to worry about

sorgenvoll worried

spanisch Spanish

spannen to stretch; to cock (*a trigger*)

die **Spannung** (–en) tension, suspense

sparen to save

der **Spaß** (*ӕ*e) fun, joke

der **Spazierstock** (*ӕ*e) cane

der **Spediteur'** (–e) furniture-storage agent

das **Speicherhaus** (*ӕ*er) warehouse

die **Speise** (–n) food

speisen to eat

die **Spekulation'** (–en) speculation

sperren to lock up; **gesperrt halten** to keep (a shop) closed

speziell' special

der **Spiegel** mirror

das **Spiel** (–e) game, play; **aufs — setzen** to risk, stake

das **Spielkasino** (–s) gambling-casino

die **Spinne** (–n) spider

spitz pointed, sharp; shrill

die **Spitze** (–n) point, tip, head, leader

der **Sporn** (–s, *pl.* Sporen) spur

die **Sprache** (–n) language, speech

sprachlich linguistic

sprengen to blast, blow up

der **Sprung** (*ӕ*e) leap, jump, jerk; crack

die **Spur** (–en) trace, track; **keine — ** not in the least

spüren to notice, feel

der **Staatsbürger** citizen of a country

der **Staatschef** (–s) chief of state

die **Stadtgrenze** (–n) city limits

stammeln to stammer, stutter

stammen to originate, stem

stampfen to stamp

der **Standpunkt** (–e) point of view, attitude

starr rigid, frozen

stärken to strengthen

staunen to be astonished

stecken·bleiben * to get stuck

stehlen (a, o) to steal

steif stiff

steigern to increase, grow

der **Steindamm** (*ӕ*e) stone pier

der **Steinhaufen** pile of stones

die **Stelle** (–n) place, situation, spot; authority

stellen to place, put; **sich — to** pretend to be

die **Stellung** (–en) position

stemmen to brace, push

der **Stempel** official stamp, seal

stempeln to stamp

sterblich mortal

der **Stern** (–e) star

stets always

das **Steuer** steering-wheel

das **Steuerrad** (*ӕ*er) steering-wheel

stickig stifling, choking

stiernackig bull-necked

der **Stil** style

stimmen to agree, be correct

stinkig stinking

die **Stirn** (–en) forehead, brow

der **Stock** (*pl.* Stockwerke) story, floor (*of a building*)

der **Stock** (*ӕ*e) stick, cane

stolpern to stumble

stolz proud
der Stolz pride
stornieren to cancel, withdraw
stoßen (ie, o) to shove, bump; —
auf to bump into, find
strafen to punish
sträflich culpable, punishable
strahlen to gleam, shine, beam
stramm sturdy; erect; snappy
die Straßenfront (–en) street front
der Straßengraben (⸚) road-side
ditch
der Straßenmantel (⸚) street coat
der Strate'ge (–n) strategist
sträuben: sich — to struggle, re-
volt
der Strauchdieb (–e) sneakthief
streben to strive
die Strecke (–n) stretch, distance,
track
streicheln to stroke, caress
streifen to graze, touch
das Streichholz (⸚er) match
streiken to strike
der Streifschuß (⸚e) slight wound
caused by a grazing bullet
streng stern, strict, sober
der Strich (–e) line, stroke of a
pencil; salvo
der Strick (–e) rope
strikt strict, stern
der Strumpf (⸚e) stocking
die Stufe (–n) step
der Stuka (–s) dive-bomber
stumm mute, silent
der Stümper bungler
stümpernd bungling, blundering
stürmisch stormy
stutzen to hesitate, be startled
stützen to support, prop
subaltern' subordinate

die Summe (–n) sum
summen to hum
die Sünde (–n) sin
sündig sinful
süß sweet
die Süßigkeit (–en) sweetness,
candy
symbolisch symbolic
das Symphonie'orchester symphony orchestra
syphilitisch syphilitic
die Szene (–n) scene

das Tabernakel shrine
die Tablet'te (–n) tablet
tadellos blameless, excellent
die Tafel (–n) table
tagsüber adv. throughout the day
der Takt (–e) tempo, measure
(music)
taktieren to beat time
taktisch tactical
das Talent' (–e) talent
der Tank (–s) tank
das Tankhindernis (–se) tank obstacle
der Tanz (⸚e) dance
das Tanzstück (–e) piece of dance
music
die Tapferkeit bravery
die Taschenlampe (–n) flashlight
das Taschentuch (⸚er) handker-
chief
die Tatsache (–n) fact
die Taube (–n) dove
tauchen to dip, plunge, disappear;
to appear
tauschen to exchange
der, die Taxi (–s) taxicab
die Tech'nik technology
der Tee tea

das **Telegramm'** (–e) telegram
das **Telephon'gespräch** (–e) telephone conversation
telephonieren to telephone
das **Tempo** (–s) tempo, speed
der **Teppich** (–e) rug
teuer dear, expensive
der **Teufel** devil
das **Teufelsgewühl** (–e) devilish tumult
der **Text** (–e) text
der **Thea'ternarr** (–en) ardent lover of the theater
das **Thema** (*pl.* Themen) subject, theme
die **Thermosflasche** (–n) thermos bottle
tief deep
das **Tierfell** (–e) skin of an animal
tippen to tap, knock gently
das **Tischtuch** (∡er) tablecloth
toben to rave, rage
die **Todesgefahr** (–en) danger of death
das **Todesschweigen** deathlike silence
tödlich deadly, fatal
todmüde exhausted
tollkühn daring
der **Ton** (∡e) sound, tone
der **Tonfall** (∡e) cadence, accent
tonlos dull
das **Tor** (–e) ga·
tot dead
totenbleich pale as death
der **Totschläger** killer
das **Touri'stengewand** (∡er) costume of a tourist
traben to trot
die **Tradition'** (–en) tradition
tragisch tragic

die **Tragö'die** (–n) tragedy
die **Träne** (–n) tear
das **Tränenlächeln** tearful smile
der **Transport'** (–e) transport, transportation
das **Transport'wesen** transportation
trauen to trust, confide; to marry (*a couple*)
der **Traum** (∡e) dream
träumen to dream
träumerisch dreamy
traurig sad
treiben (ie, ie) to drive; **Scherz —** to joke
trennen to separate, divide
treu faithful, true
die **Treue** loyalty
der **Treuschwur** (∡e) oath of loyalty
das **Trinkgeld** (–er) tip
der **Triumph'** (–e) triumph
trocken dry
trocknen to dry
der **Trödler** secondhand dealer
die **Trommel** (–n) drum
die **Trommelmusik'** music accompanied by drums
der **Tropfen** drop
trösten to console
das **Trottoir'** (–e) sidewalk
der **Troubadour'** (–e) wandering minstrel
trüb gloomy
die **Truppe** (–n) troop
der **Tscheche** (–n) Czech
tschechoslowakisch Czechoslovak
das **Tuch** (∡er) cloth
das **Türmchen** little tower

übel ill
übel·nehmen * to be offended by

üben to practice
überall everywhere
überführen to transfer, change
überfüllt overfilled
übergeben * to hand over
über·gehen * to go over
überhaupt *adv.* at all, besides, at any rate
überheben *: sich — to be overbearing, be presumptuous
überhören to fail to hear
überlassen * to leave, surrender
überlebensgroß more than life size
überlegen: sich — to consider, think over
überlegen *adj.* superior
die Überlegung consideration
die Übermacht superior power
übermorgen day after tomorrow
übernächtig worn out from lack of sleep
übernehmen * to take over, assume
die Überraschung (-en) surprise
überreden to persuade, convince
die Überredungskunst (*ᵘ*e) eloquence, art of persuasion
überreichen to hand over
überrunden to outflank
überschätzen to overestimate
überschreiten * to cross
überstellen to deliver
übertragen * to transmit
übertreiben * to exaggerate
über·werfen * to throw over
überzahlen to overpay
überzeugen to convince
die Überzeugung (-en) conviction
überziehen * to overdraw
übrigens *adv.* incidentally, moreover
das Ufer bank (*of a river*)

der Ulan' (-en) uhlan, lancer
umarmen to embrace
um·bringen * to kill
um·drehen to turn round
umfassen to embrace
der Umgang action, relation, acquaintance
die Umgebung vicinity
um·gehen * to consort, go, haunt
umher·irren to roam about
umher·spähen to look around
um·kehren to invert, turn round
umklammern to cling to
um·kleiden: sich — to change clothes
um·kommen * to perish
umkrampft tightly clenched
umrahmen to frame
umsäumen to seam, hem, bind
umschlingen (a, u) to wind round
die Umsicht caution, prudence
umständlich awkward, ceremonious
der Umweg (-e) detour
um·wenden * to turn round
um·werfen * to knock over
unangenehm unpleasant
unaufhörlich unceasing
unbegraben unburied
unbeholfen awkward
unbeirrt undisturbed
unbekannt unknown
unbemerkt unnoticed
unbequem uncomfortable
unberührt untouched
unbescheiden immodest
unbeteiligt unconcerned
unbewußt subconscious
unendlich eternal, unending, infinite
unerhört unheard of, impossible

unerklärlich unexplainable
unerschütterlich unshakable
unersetzlich irreplaceable, indispensable
die Unfähigkeit inability
unfaßbar incomprehensible
ungeduldig impatient
ungefähr approximate
ungefährdet not in danger, safe
die Ungelegenheit (–en) inconvenience, trouble
ungeniert (soft g) unembarrassed
ungepflegt unkempt
ungezogen naughty
das Unglück misfortune, accident
unglücklich unhappy, unfortunate
ungültig not valid, worthless
die Ungunst disfavor, disadvantage
die Unheilsahnung (–en) foreboding of evil
unheilverkündend ill-boding
unheimlich mysterious, uncanny
die Uniform' (–en) uniform
das Universal'werkzeug (–e) universal tool
unmodern old-fashioned
unmöglich impossible
unruhig anxious, restless
unsagbar unspeakable
unschuldig innocent
unsereins people like us
unsicher uncertain
unsichtbar invisible
der Unsinn nonsense
unsterblich immortal
unstet unsteady, restless
unterbrechen * to interrupt
unterdrücken to suppress
untergeordnet subordinate, lowgrade
die Unterhose (–n) underwear

unterrichten to teach, instruct
die Unterschätzung underrating
unterscheiden * to distinguish, discern
untersetzt heavy-set, not tall
untersuchen to examine, investigate
die Untersuchung (–en) investigation
der Untertan (–s, –en) subject (of a country)
untertänig submissive, humble
unterwegs on the way
untreu unfaithful
unüberwindlich insuperable
unverheiratet unmarried
unversehens adv. unnoticed
unverwüstlich indestructible
unverzüglich adv. without delay
unvorsichtig incautious, careless
unwillig angry, irritated
unwissend ignorant
unwürdig unworthy, undignified
unzählig countless
die Unzuverlässigkeit (–en) unreliability
üppig abundant
der Urgroßvater (ᴤ) great-grandfather
urteilen to judge, decide

das Vaterland (ᴤer) fatherland
das Vehi'kel vehicle
verabreden to agree on, discuss;
sich — to make an appointment
verachten to despise
verächtlich scornful
verändern to change
veranstalten to contrive, arrange, manage
verantwortlich responsible

die **Verantwortung** (–en) responsibility

der **Verband** (ᴬe) bandage; union

verbergen * to conceal

verbeugen: sich — to bow

die **Verbeugung** (–en) bow

verbieten * to forbid

verbinden * to unite; to bind up, bandage

die **Verbindung** (–en) connection, communication

verbleiben * to remain

verbrauchen to use up

das **Verbrechen** crime

verbreiten to spread

verbrennen * to burn up

verbringen * to spend

der **Verdienst** (–e) service, merit

verdröhnen to drone away in the distance

die **Verdunkelung** black-out

verdunsten to evaporate

verdüstern to darken

verehelicht married

verehren to revere, honor

die **Verehrung** veneration, respect

verehrungswürdig venerable, worthy of respect

der **Verein** (–e) society

die **Vereinigten Staaten** United States

verfallen * to collapse, fall into ruins

verfassen to compose, write

verfinstern to darken

verfluchen to curse

verfolgen to pursue, follow

der **Verfolger** pursuer

verfügen to dispose, command; — **über** to have at one's command

die **Verfügung** (–en) disposition; order, ordinance; **zur** — **stellen** to place at one's disposal

verführen to lead astray, seduce

vergällen to embitter

die **Vergangenheit** past

vergeben * to forgive

die **Vergeblichkeit** futility

die **Vergebung** forgiveness, pardon

vergehen * to pass away, fade out

vergeßlich forgetful

verglast glassy-eyed

vergleichen * to compare

der **Vergleich** (–e) comparison

das **Vergnügen** pleasure

der **Vergnügungspark** (–e) amusement park

die **Vergnügungsreise** (–n) pleasure trip

die **Vergünstigung** (–en) privilege

verhaften to arrest

die **Verhaftung** (–en) arrest

verhallen to die away in the distance

verhalten * to hold back, repress

das **Verhältnis** (–se) condition, relation, circumstance

verhandeln to discuss

verhängnisvoll fatal, fateful

das **Verhör** (–e) hearing, trial

verhungern to starve

verkaufen to sell

der **Verkehr** traffic

verkleiden to disguise

verkniffen concealed, devious, roundabout

verkrampfen to contort, twist

das **Verlangen** desire, longing

verlassen * to leave, desert; **sich** — to depend

verlegen to block

verlegen *adj.* embarrassed

verleihen * to lend, give
verletzen to injure
verlieben: sich — to fall in love
verliebt in love, infatuated
vermeiden * to shun, avoid
vermerken to note down, record
vermögen * to be capable of
vermutlich *adv.* probably
vernehmbar noticeable, audible
vernehmen * to hear, perceive
vernichten to destroy
die Vernichtung destruction, ruin
die Vernunft reason
vernünftig sensible, reasonable
verpacken to pack up
verpflichten to obligate, bind
der Verrat treason, betrayal
der Verräter traitor
das Verräterblatt (ӿer) traitorous paper
verrecken to die, perish (*of animals; vulg. of people*)
verrückt crazy
verrückterweise *adv.* crazily enough
versagen to fail
versammeln: sich — to assemble
versäumen to pass up, miss (*an opportunity*)
verschaffen to procure
verschenken to give away
verschimmelt moldy
verschleppen to drag away
verschneit snow-covered
verschweigen * to conceal by keeping silence
verschwenden to waste
verschwinden * to vanish, disappear
versenden * to send out
versetzen to put in place of

versöhnlich placating, appeasing
versonnen meditating, in deep thought
versperren to lock, bar
versprechen * to promise; sich — to make a mistake in speaking
der Verstand reason, sense
verständlich understandable
das Verständnis understanding
verstauen to stow away
das Versteck (-e) hiding-place
verstecken to conceal, hide
verstockt stubborn
verstopft jammed, crowded
verstorben deceased
verstört disturbed, upset
der Versuch (-e) attempt
vertauschen to exchange, change
verteidigen to defend
vertragen * to bear, stand; sich — to get along
das Vertrauen confidence
der Vertrauensmann (ӿer) trusted employee
vertraulich confidential, intimate
vertreiben * to drive away
verüben to perform, perpetrate
verursachen to cause
verurteilen to condemn
verwachsen deformed
verwahren to keep, preserve
die Verwaltung (-en) management, government
verwandeln to change
verweilen to remain
verwenden * to make use of
verwirren to confuse
die Verwirrung (-en) confusion
verworren confused
verwunden to wound
verwundert surprised

verzeihen (ie, ie) to forgive

die Verzeihung forgiveness, pardon

verzichten auf to renounce, forgo, do without

verziehen * to draw up

verzweifeln to despair

der Veteran' (-en) veteran

die Vibration' (-en) vibration

das Vibra'to (-s) vibrato

der Vielverfolgte (-n) much-pursued person

vierzehnjährig fourteen years old

die Villa (pl. Villen) villa

violett' violet

der Virtuose (-n) virtuoso

die Vision' (-en) vision

das Visum (pl. Visa) visa

der Vizekonsul (-s) vice-consul

der Volant' (-s) steering-wheel

das Vollbewußtsein full consciousness

völlig complete

die Vollmondnacht (ⁿe) full-moon night

voll·saugen: sich — to fill one's lungs

voll·schenken to pour full

voraus·bezahlen to pay in advance

die Vorauseiltruppe (-n) advance troop

vor·bereiten to prepare

der Vordersitz (-e) front seat

vor·fahren * to drive up, drive ahead

der Vorgang (ⁿe) action, proceeding

vorgebeugt stooped

das Vorgefühl (-e) premonition

vor·gehen * to go on, happen; to advance

vorgesetzt superior

vor·greifen * to reach ahead, anticipate

vorhanden available

der Vorhang (ⁿe) curtain

vorig former, last, previous

vor·kommen * to happen

vorläufig temporary; adv. at present

vor·legen to lay before, submit

vormals formerly

der Vormarsch (ⁿe) advance

vornehm aristocratic

vor·quatschen vulg. to tell, explain

vor·rücken to advance

der Vorschein: zum — kommen to appear; zum — bringen to produce

vor·schieben * to push forward

vor·schreiben * to prescribe

die Vorschrift (-en) rule, regulation

vor·sehen * to provide; sich — to take precautions

die Vorsicht prudence, caution

vorsichtig careful

der Vorsprung (ⁿe) projection; advantage, head start

die Vorstadtzeile (-n) suburban street

vor·stellen to present, represent; sich (dat.) — to imagine

vor·stoßen * to advance

vor·tasten to grope ahead

vorwärts forward

vorwärts·richten to direct straight ahead

vorwärts·stürmen to storm forward

vor·werfen *: einem etwas — to

reproach one for (accuse one of) something

vor·ziehen * to draw, pull out; to prefer

das Vorzimmer anteroom, hall

der Vorzug (ᵁe) advantage

vorzüglich excellent

die Wache (-n) guard, watch

der Wadenstrumpf (ᵁe) knee-length stocking

der Waffenstillstand (ᵁ) armistice

die Waffenstillstandskommission′ (-en) armistice commission

wägen to weigh

das Wagenfenster car window

der Wagenpark (-e) auto park, garage

die Wagentür (-en) car door

die Wahl (-en) choice, election

wahnsinnig insane

der Wahnsinnsausdruck appearance of insanity

wahr true, real

wahrhaftig real, genuine, true

die Wahrheit (-en) truth

wahrscheinlich probable

die Wahrscheinlichkeit (-en) probability

die Wahrscheinlichkeitsrechnung calculation of probabilities

die Waise (-n) orphan

das Waisenhaus (ᵁer) orphans' home

die Waldlichtung (-en) forest clearing

der Walzer waltz

die Wand (ᵁe) wall

wandern to wander

die Wange (-n) cheek

warnen to warn

der Wärter attendant, warden

die Waschbluse (-n) wash blouse

waschecht simon-pure

die Waschküche (-n) laundry

das Wasserglas (ᵁer) tumbler

die Wasserleitung (-en) hydrant, water supply

wechseln to change; to modulate

wecken to waken

der Wegelagerer highwayman

weg·nehmen * to take away

weh sore, painful; — tun to ache; to hurt

wehren: sich — to resist

die Wehrmacht (ᵁe) armed forces

das Weib (-er) woman

weiblich female, feminine

weich soft

weichen (i, i) to yield

weich·klopfen to soften by beating

der Weihnachtsmann (ᵁer) Santa Claus

die Weihnachtswatte cotton batting used on Christmas trees

weinen to weep

die Weise (-n) manner; air

weisen (ie, ie) to point

weißlich whitish

die Weisung (-en) instruction

weiter·geben * to pass on

weiter·helfen * to help along

weiter·kommen * to get ahead, advance

weiter·leiten to lead on, pass on

weiter·spielen to continue to play

der Wellensittich (-e) lovebird

der Weltbrand (ᵁe) world conflagration

die Weltgeschichte (-n) world history

die **Weltherrschaft** world domination

weltselig infinitely blissful

das **Weltsystem'** (-e) solar system

der **Weltuntergang** end of the world

die **Wendung** (-en) turn

wenigstens at least

werfen (a, o) to throw

das **Werk** (-e) work

der **Wert** (-e) value, worth

wert worth

wertvoll valuable

das **Wesen** being, character

westeuropäisch western European

das **Wetter** weather

der **Wetterhimmel** threatening sky

das **Wettrennen** race

wichtig important

wickeln to wrap

widerrechtlich unallowed, contrary to law

der **Widerstand** (ᵘe) resistance, reluctance

wieder·finden * to find again

wieder·sehen * to see again

wiederum again

wiegen to rock, cradle

das **Wiegenlied** (-er) lullaby

der **Wiener** Viennese

wildfremd completely strange

der **Wille** (-ns, -n) will, intention

wimmeln to swarm, teem

der **Windstoß** (ᵘe) gust of wind

der **Winkel** corner

winken to beckon, wave

der **Winterrock** (ᵘe) winter overcoat

winzig tiny

wirbeln to whirl

wirken to work; to take effect

die **Wirklichkeit** (-en) reality

die **Wirtin** (-nen) landlady, hostess

wischen to wipe

wissenschaftlich scientific

die **Witwe** (-n) widow

der **Witwer** widower

der **Witz** (-e) joke

die **Wochenrechnung** (-en) weekly bill

wohlan very well, go ahead

der **Wohltäter** benefactor

wohlüberlegt deliberate, well considered

das **Wohlwollen** good will, favor

wohlwollend well-meaning

der **Wohnsitz** (-e) residence

die **Wohnung** (-en) residence

der **Wolf** (ᵘe) wolf

die **Wolke** (-n) cloud

die **Wonne** (-n) joy

wund sore

das **Wunder** wonder, miracle

wunderbar wonderful

wunderschön very beautiful

die **Wundertat** (-en) miracle

der **Wunsch** (ᵘe) wish

würdigen to deem worthy

der **Würfel** die, cube

der **Würfelspieler** dice-player

würgen to choke

wütend angry, enraged

die **Zahl** (-en) number

zahlreich numerous

der **Zahn** (ᵘe) tooth

das **Zähneknirschen** gnashing of teeth

der **Zahnschmerz** (-en) toothache

die **Zange** (-n) pincers, pliers

der **Zar** (-en) czar

zappeln to struggle, wiggle

zart tender, delicate

zärtlich tender, affectionate

die Zärtlichkeit (–en) tenderness, affection

der Zauberer magician

zaubern to conjure, produce by magic

die Zehenspitze (–n) tiptoe

das Zeichen sign

der Zeigefinger index finger

die Zeitschrift (–en) magazine, periodical

zerbrechen * to break

zerfleischen to tear to pieces

zerhacken to chop, hack to pieces

zerkleinern to break into pieces

zermartern to torture, torment

die Zerrüttung ruin, shattering

zerstreiten *: sich — to quarrel, fall out

zerstreut absentminded

zertrampeln to stamp to pieces

zertreten * to crush by stepping on

der Zettel slip of paper, note

der Zeuge (–n) witness

das Ziel (–e) goal, target, destination

ziemlich adv. rather, fairly, quite

die Ziffer (–n) number, figure

die Zigarette (–n) cigarette

zirpen to chirp

zischen to hiss

zittern to tremble, quiver

der Zivil'anzug (⸚e) civilian suit

der Zivilist' (–en) civilian

zivili'stisch civilian

zögern to hesitate

der Zoll inch

der Zöllner customs inspector

zornig angry

zucken to quiver, tremble, shrug

zu·drücken to close, squeeze shut

der Zufall (⸚e) chance

zufällig by chance

der Zug (⸚e) train; feature

der Zügel bridle

zu·greifen * to help oneself

zugrunde·gehen * to perish

zugunsten prep. with gen. in favor of

zu·klappen to close

zu·knöpfen to button up

die Zukunft future

zumute sein imp. to feel

zurück·beugen to bend back

zurück·bleiben * to remain behind

zurück·fahren * to drive or ride back

zurück·lassen * to leave behind

zurück·legen to lay back or aside; to cover (ground)

zurück·weichen * to fall back, yield, withdraw

zurück·werfen * to hurl back; to echo

zurück-ziehen * to withdraw

zusammen·beißen * to clench (teeth)

zusammen·brechen * to break down

der Zusammenbruch (⸚e) collapse

zusammen·fahren * to be startled

zusammen·falten to fold together

zusammen·gurgeln to slop back and forth, gurgle together

zusammen·knicken to sag down, break down

zusammen·rappeln: sich — coll. to pull oneself together

zusammen·rollen to roll up

zusammen·schlagen * to strike together

der **Zusammenstoß** (ᵘe) collision

zusammen·treiben * to drive together

zusammen·stürzen to collapse

zuschanden fahren * to ruin, wreck

zu·schlagen * to slam

zu·schließen * to lock up

zu·sehen * to watch, observe

die **Zusicherung** (–en) assurance, promise

der **Zustand** (ᵘe) condition

zustande bringen * to accomplish, manage

zustatten kommen * to be useful to

zu·stecken to hand surreptitiously

der **Zutritt** admission

zuverlässig reliable

die **Zuversicht** confidence, assurance

der **Zuwiderhandelnde** (–n) violator of an order

die **Zwangsjacke** (–n) straitjacket

zwangsweise by force

zwar *adv.* to be sure

der **Zweck** (–e) purpose

zweckmäßig practical, purposeful

zweifeln to doubt

der **Zweikampf** (ᵘe) duel

der **Zwerg** (–e) dwarf

zwingen (a, u) to force, compel